中坊公平・私の事件簿

中坊公平
Nakabo Kouhei

a pilot of wisdom

はじめに

この本を作ることになり、あらためて私が担当した事件に関係する資料に目を通しました。京都にある事務所の倉庫には、私が独立して事務所をもった後に担当した最初の事件から今日まで、約五〇〇件を超す事件について裁判の訴状、答弁書、準備書面、尋問調書の写しや、判決文正本など、関係する文書をすべて保管してあります。

なぜ、今なおすべて残しているのか。それは、弁護士として私が担った仕事については、生きている間はもちろんのこと、死んだ後も責任を取りますよということなのです。私はどんな事件に対しても全力を尽くしました。いいかげんにやるということをしませんでした。それは、残してあるこれらの資料を見てもらえばわかることです。これらの事件の一つ一つが私の墓碑銘、そして、あの世へ携えていく数珠の珠だと思っています。

落ちこぼれで出来の悪い私でしたが、さまざまな事件を担当することによって徐々に成長していきました。事件が私を鍛え、その都度さまざまな教訓を与えてくれたのです。そして、忘れられない思い出もたくさんできました。この本では、それらの中から一四件を選び、話をさせていただきます。

1950年２月、京都大学法学部受験写真

目次

ケース・1　一九六〇年

H鉄工和議申立て事件

◆事件の概要

大阪市にあるH鉄工所は、水道用バルブなどの設計及び製造販売をする会社。代表者の個人経営から一九五六年七月に株式会社となる。翌年の前半期まで経営は順調。設計製造をした製品は国内の多くの大都市官庁へ納入する状態だった。だが、五八年から五九年に至る業界の不況に伴い経営状態は急速に悪化。五五人の従業員に対する賃金引き下げや解雇を図ったものの経営改善はできず、五九年一一月に手形が不渡りとなり倒産。翌年二月に株主総会の決議により解散し、清算を行っていた。解散当時の資産と負債の状況は、帳簿上資産総額一〇八一万八三六円。負債総額二八四八万九五八八円。差し引き債務超過額一七六七万八七五二円となっていた。資産総額のうち、担保に入っている分を除き、かつ債権の回収不能分を除けば、一般債権者に配当し得る資産は約一五〇万円程度といった状態であった。

倒産当時、H鉄工所が使用してきた家屋や機械はKバルブ工業株式会社に賃貸していたが、H鉄工所は和議認可の決定が下り次第、再び会社を継続すると同時にKバルブ工業の営業譲渡を受けることになっていた。従業員の解雇は進んでいたし、業界は不況を脱しつつあった。小規模になっても再建を図れば、かなりの利益をあげられ、債務の全額返済も達成し得る。私、中坊公平は、H鉄工所の代理人として、大阪地方裁判所に和議開始の申立てを行った。

その結果、六〇年四月末、債権者集会において、七七社の債権者は左記の内容の和議を可決した。

一、債権者らは和議申立ての日以降の和議債権に対する利息及び損害金の支払いを免除すること。
二、そのほかの和議債権は左記のとおり、分割して全額支払うこと。
三、(イ)和議認可決定確定と同時に和議債権額の七分を、確定後の六カ月以内にその三分を支払うこと。
(ロ)和議債権の残額に対しては和議認可決定確定の日から一年間据え置き、その後に来る最初の一二月一日を第一回として三年間にわたり毎年一二月一日に和議債権の五分ずつを、四年目から完済までは一割ずつを支払うこと。ただし、最終回は一割五分を支払うこと。
四、確定の日から和議条件履行済みに至るまで、和議債権者中から代表二名を選出し、申立て人会社は同人等の監督指導を受けること。

◆教訓と思い出

開業と同時に挫折

五五年の夏、敗戦から一〇年が過ぎたこの年、日本経済は「神武景気」で本格的な再生に向かいつつありました。あのころは、テレビ・洗濯機・電気冷蔵庫の「三種の神器」を揃えることが大衆の夢。「太陽族ブーム」を生んだ石原慎太郎氏の『太陽の季節』が発表されたのも五五年でした。そして、私はこの年に司法試験に合格して司法修習生となり、二年後に二七歳で弁護士を開業。大阪の弁護士事務所のイソ弁(居候弁護士)となりました。

実は、私の父、中坊忠治も弁護士で京都弁護士会の会長を務めた時期もありました。小学校の教員を辞め、苦学して弁護士になった父は、いわゆるエリート街道を歩んできた人ではなく、法律の知識が特に優れてあったわけではありませんでした。おそらく、周囲の弁護士さんもそんなふうな目で父を見ていたのではないかと思います。

当時、京都弁護士会には二百数十人の弁護士が登録されていましたが、親子揃って弁護士と

1955年、司法修習生時代、父・忠治と

司法修習生時代（本人・左）

いうのは案外少なく、おそらく数人ではなかったかと思います。東大、京大卒のエリート弁護士の息子がなかなか弁護士になれないのに、自分の息子が弁護士になったということで父は大喜び。知人や友人に触れ回っていました。それだけではなく、弁護を依頼してきた方に提出してもらう「委任状」に、自分の名前だけではなく勝手に私の名前を刷り込むなど、息子は自分のところで仕事をし、やがて跡を継ぐのが当然と決め込んでいました。

しばらく大阪でイソ弁をした後、五八年に、私はこの親父の弁護士事務所に入ったわけですが、とにかくよくもめました。親父は私のことを出来の悪いアホやと思っているし、私の方も親父のことを不勉強でいいかげんな男だと思っている。つまり、親子としては間違いなく愛し合っていながら、弁護士としては互いに尊敬していないわけです。これではうまくいくはずがない。翌五九年二月、妻淳子と結婚した私は、これをきっかけに父のところを去り、大阪で自分の事務所を構えて独立しました。

ところが、「弁護士・中坊公平事務所」の看板は掲げていても依頼者がまったく来ない。おまけに、妻は身体を患って入院するし、事務員さんも膝を悪くして入院してしまった。客は来ない、女房はいない、事務員もいない。そして、ついに私は、依頼者から預かっている金を使い込んでいることがわかりました。これは、この年の暮れに預金通帳を開け、帳簿をつけていて初めて気づいたことなのですが、これを知った時、私は自分が真っ暗な底無しの穴の中へストーンと落ち込んでいったような気分になりました。すぐさま親父に金銭的な援助を求めたものの「そんなもん知らんがな」とけんもほろろ。独立・自立と言いながらこの様《ざま》です。己の力を思い知った私は、弁護士を辞め裁判官になることも考えました。

暗澹《あんたん》たる気分のまま年が明けて六〇年。相変わらず客（依頼者）が来ない日々が続いていた二月ころ、飯野仁さんという同期の弁護士が、彼のところへやって来た依頼者に私のことを紹介してくれました。

倒産したものの、再建をめざしていた会社の和議申立て事件です。大阪のH鉄工という水道用のバルブを作っている会社が依頼人です。和議というのは、例えば倒産状態にある者が、債務について一部免除・猶予など支払い条件を提案し、債権者集会で同意を求めるという手続きで、円滑にこれが進むよう債務者の代理人を任されたわけですが、債権者は近畿日本鉄道など七七社にのぼり簡単にはいきません。しかし、喜んでこの仕事を引き受け、それからというもの、ほとんど毎日のようにH鉄工の工場に通いました。とにかく他に依頼者が来なくて暇でしたしね。

ついていたのは旋盤やフライス盤についての覚えが私にあったことです。戦時中、同志社中

三菱伊丹工場での勤労動員時代（本人・最前列右端）

学に通っていた私は、学徒動員の際、兵庫県伊丹市の三菱電機の製作所で、二年ばかり工員として働かされていたのです。だから、H鉄工が抱えている機械が、いくらぐらいで売りさばけるかというようなこともだいたいわかりましたし、この会社が立ち行かなくなってしまった真の原因もよくわかりました。それは「芯出し」という基本的な作業が杜撰《ずさん》だったのです。こんな粗悪品を作っているから、値引きを強いられての出血受注ばかりやることになる。肝心なことは、社長が取引先を接待して回ることではなくて、いい品を作ること。品さえ良ければ必ず会社は再建できるはずです。

現場がすべて

工場に通い始めて二日と経たないうちに、私は背広を脱ぎ、油まみれの作業服に袖を通しました。最初は、工員たちに向かって「芯出しは完璧に垂直に……」などと言いながら自分で機械を動かす程度だったのですが、ついには梯子を駆け上がってクレーンの運転席に入り、これを操縦し始めた。その時、工員たちは驚きと尊敬の眼差しで私を見ていました。これは気持ち良かったですね。それまで、小さい時から馬鹿にされたり、軽蔑されたりしたことはあっても、人から尊敬されるようなことは一度もなかった。だから、もう最高の気分でした。もちろん、不器用な私より工員の方がはるかに高い加工技術をもっていたはずです。けれども、弁護士先生が作業服を着てそこまでやるかということで彼らは私を認め、信頼してくれたのだと思います。

私は調子に乗って経理のおばさんにまで口を出したのですが、社長さんはおっとりした人で、三二歳の若造に諫言するどころか、「先生、何もかもお任せしますんで、とにかくよろしゅう頼んます」と頭を下げるだけ。そんなわけで、私は弁護士・代理人というより、いつしか社長・経営者のようになってしまったのですが、七七社の債権者との交渉でこれが生きたようです。というのも、H鉄工について私がもっている知識が実に豊富で、債権者に対しても整理委員に対しても、再建について自信たっぷりに話すものですから、皆さんさほど抵抗なく判をついてくれました。

そして実に嬉しいことがありました。債権者の一人だった大阪の宮嶋さんという鋳造会社の社長が「あんたちょっと変わった人やなあ。せやけど、若いのになかなかやるやないか」と言って、後日、私の依頼者になってくれたことです。私はそれでよくわかりました。すべては現場なんだと、現場さえ知っていれば、裁判も勝つし客も来る。そうすると金も入るし、飯も食える。つまり万事うまくいくんだということを知ったのです。

私には、私を引き上げてくれるような法曹界のボスはいないし、ツテもコネもない。ましてや、不勉強で特に法律に強いわけでもない。そんな私がこの世界で生きていくためには、誰より現場を知り抜くしかないんだということをこの事件を通して悟りました。現場に足を運び、五感を総動員すれば問題の本質が見えてきますし、法律だけに頼らない迫力、説得力が出てきます。相手方よりも、裁判官よりも現場をよく知っていることから生まれる力。ここで勝負しようと考えたわけです。事件を繙《ひもと》く本質は法律にあるのではなく現場にあります。現場の中に小宇宙があり、現場に神宿る——私はそんなふうに考え、今日に至るまで「現場主義」を貫いています。

この事件がすべてでした。今ある弁護士・中坊公平はこの事件を手がけることにより誕生したのです。

ケース・2　一九六二年

「M市場」立ち退き補償事件

◆事件の概要

「夢の超特急」東海道新幹線は、一九六四年の東京オリンピックの年に開通した。この計画の遂行に伴い多くの地域で立ち退き補償問題が発生したが、この事件もそうだった。国鉄（現JR）京都駅から五〇〇メートルほどのところ、今は新幹線の高架橋が建っているこの場所にかつて市場があった。鮮魚、お茶、雑貨、生花、天ぷら、豆腐、呉服など、店主らはMビル株式会社から一階の店舗を賃借りして営業していた。

六〇年、Mビルのオーナーが国鉄側から用地売却を求められる。この話を知った市場の店主らは、Mビル側との間で、国鉄との補償交渉は店主らがMビル側とは別個に交渉する旨の合意をしたうえで、国鉄に対して陳情書を出したり、大阪新幹線工事局に足を運んだりした。しかし、国鉄からは明確な回答はなく、ただMビル側と補償契約をする時は店主らにも連絡するとのことであった。

ところが、翌六一年Mビルの登記簿を取り寄せてみると、Mビルの敷地は六一年四月二〇日、すでに国鉄の名義となっていることが判明した。そこで、店主らは国鉄とMビルのオーナーに問いただしたが、国鉄は言を左右にして、具体的な回答をせず、Mビルのオーナーに至っては「補償交渉はMビルがする」「出店業者は別途、Mビルと『また契約』をすればよい」「店主らが直接国鉄と交渉すれば、敷金も返還しないし、国鉄から補償金ももらえない」と開き直る始末であった。

こうした動きを経て、市場の人たちが私のところへやって来た。六二年九月一五日、私は店主らと共に大阪新幹線工事局を訪れた。そして、国鉄側からMビルの土地建物はすでに国鉄が買い取り、代金の一部（一億数千万円）を支払ったこと。また、店主らの補償金はMビルが一括して受領する約束をしたが、今後はMビルの了解を得たうえで、店主らと個別に交渉するとの説明があった。そして、翌日には国鉄の職員から細目の説明を聞き、翌々日には店主ら側からの要求を提示した。

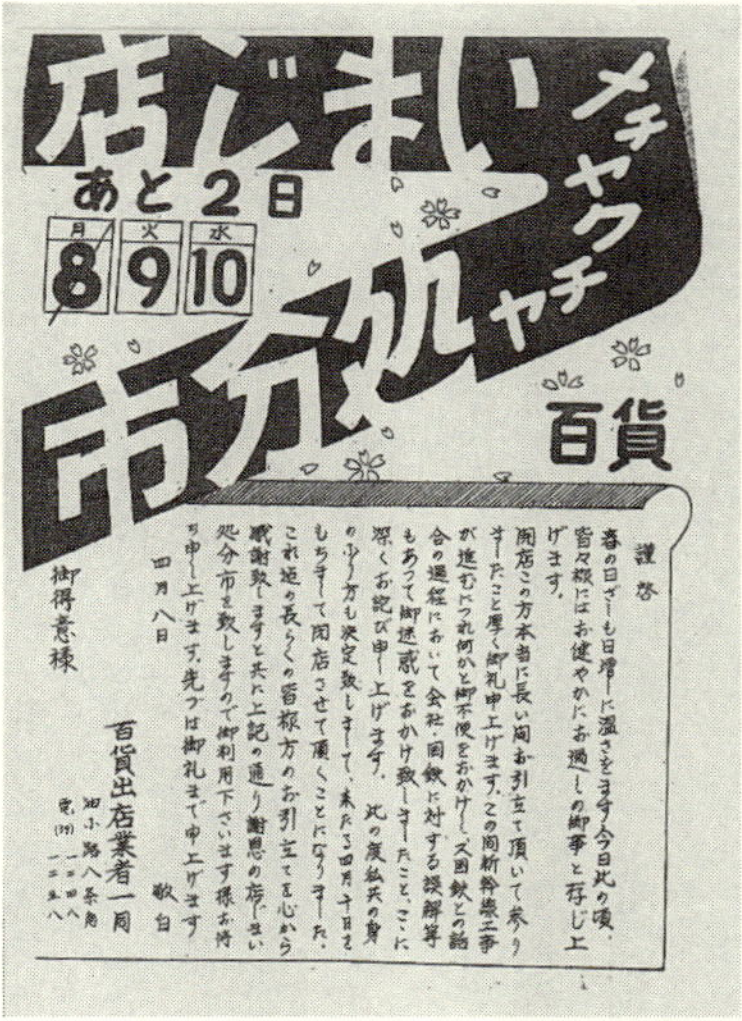

M市場が閉店セールで撒いたチラシ

しかし、回答期限が来ても一向に返答

がないので、店主らは、一〇月一五日、今後工事には協力できない旨を伝えた。その後になって国鉄からようやく回答があったが、補償額は一二〇万円という低いものであった。しかも、国鉄は回答の中で、店主らが強硬な手段に出るならば、補償交渉はMビルと一括して行う意向を示した。そのため、店主らの怒りが爆発することとなった。

このような状況の中で、同月二五日、国鉄はMビルの一軒おいた東側で高架橋建設工事を行った。

なお、補償交渉は、六三年一月二二日、国鉄が店主らに、最低二〇八万五九四〇円、最高三一七万三四〇〇円を支払い、店主らは六三年三月末までに立ち退くことで決着した。

「M百貨」という名の市場は一九六三年の春に店じまい。東京・大阪間を疾走する「夢の超特急」は翌年の秋に開通した。

◆教訓と思い出

「新幹線を止めてもらえませんやろか」

六二年一〇月のある日、M百貨の店主たちが私の事務所にやって来てそう切り出しました。そんな仮処分は到底無理。新幹線は止まらない。となると、法的にだめですと言って断ったり、勝ち目がないから辞めるのが普通の弁護士です。だが、私はやると決めました。とはいっても、どうしたらやれるかということを考え抜き、見通しを立ててやったわけではありません。ただ、本能というか啓示みたいな感じで「一番正しい方法は座り込みや」と彼らに答えたのです。

非は国鉄とビルのオーナーにあります。実際、当時の国鉄の新幹線工事局は腐敗し、代議士を巻き込んで汚職につながるようなことをしていたのです。ですから、悪しき癒着をついて賃借人のもっている正当な権利を確保させようと考えました。では、どうすればいいのか。「皮を切らせて肉を切れ、肉を切らせて骨を断て」と昔から言うように、まずもって自分が犠牲になれ、体を張れと依頼者に言ったわけです。体を張る以外にこれに勝つ手はない。だから座り込みをして体を張れと檄を飛ばしたわけですが、このへんからもう弁護士やら何やらわからんようになってますわね。

事を公の場に移し、因業《いんごう》家主がいてそれに国鉄が癒着してという構造を世の中に訴えなさい。マスコミも活用して世間の目にさらしなさい。そして、国民の審判を受ければいいじゃないかと。世間のみんなの関心を呼べばあなた方の言い分はとおるはず。世論の力を借りれば弱者にも勝ち目は出てきます。何も裁判所の仮処分だけが事件の解決の方法ではありません。仮処分でなくとも新幹線を止める手はあります。実力行使で止めるというのではなく、世の中に事件の本当の姿を見せて理解してもらえば勝てる。抵抗権というかこれをやる権利は国民にあるはずだと説いたわけです。

「情報公開」という戦法

では、みんなの関心を呼ぶためにはどうしたらいいのか。一方で工事はどんどん進んでいくのだからこれを体で止めなさい。そうすれば、このことは騒ぎになって新聞沙汰になる。なったら世間の人はなんでこんなに争ってるんだと関心をもってくれると読んだわけです。

私はこの時、まだマスコミ、新聞社の人たちとほとんどつきあいがなかったのに、情報の公開、つまり事を公にするディスクローズによる挑戦が弱者にとっては唯一の挑戦の仕方であるということ、何も裁判所の中だけで勝負しなくてもいいんだということを、あの時すでにわかっていたようです。まさに本能的に。これは、ある意味で今やっている豊島《てしま》や住専なんかとまったく同じ手法です。原型というのは存外早くできているんですね。世間では、私は豊島の事件で初めてこういった手法を用いたと思っているようですが、そうではなく、三三歳の時に、この「ディスクローズによる挑戦」という原型がすでにできていたわけです。

さて、それでは依頼者である市場の皆さん方に向かって具体的にどんな指示を出したか。それは、微に入り細を穿《うが》っていました。

まず、私が指示したらすぐさまみんなが集まれるように緊急連絡用の電話網を整えました。また、建設現場には見張り番をつけ、そこでの様子を逐一報告させました。そして、店主たちの店や家を一軒一軒回ったり、数人単位の小集会を繰り返しました。店主たちだけではなく家族全員に覚悟を固めさせたわけです。

座り込みに行く時は男ではなく女子供、母親はできれば子連れで行きなさい。これが一番いい。あなた方が御飯を食べられるのは、お父ちゃんが商売してるからでしょ。だから、関係のないことではない。皆さんは運命共同体。お父ちゃんにだけ任すのではなくて、みんなで立ち上がってもらわないと勝てませんよ。だから嫁さんも爺ちゃんも婆ちゃんもみんな総出で座り込みに行きましょう、と説得したのです。その時二、三歳の女の子を連れていた母親がこう言いました。

「先生、昼間ならともかく、寒空にあんなとこへ子供を連れていくなんて無理です。堪忍してください」

「何を言うてんねん、ねんねこ着せて暖《あ》ったこうして出てきたら大丈夫や。ええから子供を抱えて出てきなさい」

きついようですが、それは、みんながよほどの決意をもってやらないと勝てないと思っていたからです。これは今の日本人全体に言えることですが、弁護士任せ、政治家任せ、他人任せにするのではなく、自分の問題であり、自分自身が足を踏み出さないと解決しないのだということをわかってほしかったのです。後になって、その女性から工事現場で「あの時はすんませんでした。来て良かった」と言われた時は本当に嬉しかったのですが、ここまで自覚してもらうのがひと苦労なんです。

それにしても、依頼者たちは自分たちが抱いていた弁護士のイメージが完全に壊れたでしょうね。法律手続きについてはまったく何も言わないで、座り込みの仕方やとかそんなことばかり言っているわけですから。しかし、私はこれが良識というものだと思っています。法律がなんだとか何条の何項がどうだとか要件事実ばかりを言って、そんな知識がなんだと。それより、ほんとに新幹線を止めてやったらええがなと思うわけです。何やら、弁護士というより徒党の「親分」ですね。前章のH鉄工では社長で今度は親分です。

さて、実際に工事が始まるとすぐにみんなを呼び出し、カンテラ持参で現場に急行しました。母親におぶさった子供が泣き叫んだりするし、騒ぎはいっぺんに広がって各社の新聞記者が飛んできました。ここまでは計算どおり。さて、ここで私がまったく予期していなかった問題が持ち上がりました。それは、店とお客さんとの問題です。座り込みをやっていると、そんな揉め事を起こしているどころではなく、よその店で買おうという人が結構出てきて、店の商売に差し支えるようになってきたのです。だから、店主たちはお客さんにビラを撒いて、なぜ自分たちがそこまでやっているのかということを理解してもらおうとしました。

人間の高貴さ

私は、今回の事件というのは対国鉄、対オーナーだけではなく、広範囲にかかわっているのだということをこの時初めて理解しました。事件というのはすべてがそうなのです。闘いは局地だけではなく全人格、全家庭に広がってしまう。そういう意味では、弱者というのは徹底的にかわいそうなんです。弁護士としてかかわりながら、私はこういうことを学びました。

ある日、四条大宮の喫茶店に入って店主たちが作った「オーナー批判」のビラの原稿を見せられたのですが、中身を見て、これは名誉毀損でやられるなと思いました。それで、問題と思われる箇所を削っていったのですが、店主たちから「先生、それでは言いたいことが充分に伝わらない」と言われ、悩みに悩んだ末、結局「そしたら元どおりで」と折れました。危ないとは思いつつ、皆さんの気持ちを考えると駄目とは言えなかったのです。

これを付近の住民に撒いたところ、案の定ビルのオーナーから名誉毀損で訴えられました。みんな、逮捕されて留置場に入れられるのではと相当不安だったと思います。ところが、彼らは誰一人として「もうこんな運動はやめます」とは言わなかったんですね。それどころか、おかみさんたちは、亭主に向かって「酒癖女癖が直らんあんたは、お灸を据えに入ってきた方がええ」なんて笑いながら言ったりするし、亭主たちも逃げ隠れせず甘んじて逮捕されようとしているわけです。

私はこの時、人間の本当の高貴さというものは、出生や社会的な地位によってあるものではないということをはっきりと知りました。

依頼者が自分の事務所に来る時にはすでに仮面をかぶって入ってきています。だから、依頼者のほんとの素顔というのは、依頼者が生活しているところへ行ってこそ初めてわかるものなのです。M市場の皆さん方とのつきあいをとおし、彼らの素顔に触れ、本当の意味の高貴さというのは庶民の中にこそ存在するということを私はその時に知りました。

家にお邪魔すると、たいてい駄菓子を出してくれます。京の銘菓とかいうのじゃない駄菓子です。これがうまい。ぼんぼん育ちの私は、こんなところに本当のうまさがあるのじゃないかとその時気づくのです。M市場に行くのが楽しい。お金が入るとか、事件の処理がうまくいくとかいかないとかということを越えて、楽しいというか愉快というか、毎日が映画を観てるようなものでした。結局、京都地方検察庁に出した上申書が認められ、誰一人逮捕者は出ず、国鉄からの補償金もほぼ希望どおり出ました。

ケース・3　一九六七年

貸金返還請求及び暴行事件

◆事件の概要

一、貸金返還請求

一九六四年一二月一日、貸金業者のNが在日韓国人のKに、日歩二〇銭（複利）で金を貸した。翌々年、Kは借金の担保として自宅の土地建物に仮登記担保を設定した。これによってKが返済を怠った時は、彼の自宅の土地建物で代物弁済することになった。しかし、Kは利息の一部しか支払わなかった。彼の借金は三年後の六七年一二月には元利合計一億一五七六万六〇六〇円となっていた。

私はNの依頼を受け、一二月一三日にKに対して支払いの請求をした。すると、KはNの定めた金利が利息制限法に違反すると反論した。そこで、翌年の一月二五日に、即決和解を申立て、Kとの間で制限利息超過分は元本に組み入れ、残額については分割払いとする旨の和解を成立させた。

二、家屋明渡しの強制執行

しかし、Kは和解条項に定められた分割払いも怠ったので、六九年二月五日に仮登記担保権実行を通知した。これにより、Kの自宅は貸金の代物弁済として譲渡され、Nの所有となった。しかしながら、Nの所有となった後もKはその自宅に居住していたので、私は家屋明渡しの強制執行を申立てた。そうするとKはNに執行を四月一一日まで延期するよう要望書を出すとともに、裁判所に対して、Kの自宅建物はKの息子が代表となっている有限会社Zが使用しているので執行は許されないとの上申書を提出してきた。しかし、有限会社ZがKの自宅建物を占有している事実はなく、たとえ占有していても裁判所の決定がない限り強制執行を阻止することはできない。私は、その旨、裁判所に主張し、五月にKの自宅について家屋明渡しの強制執行を行った。

三、代物弁済無効確認の訴え

このように家屋明渡しの強制執行が終わった翌月の六月二日、Kは残債務に比べて代物弁済として譲渡された土地の価格が高く暴利であるとしてNを訴えた。そこで私は、代物弁済が暴利ではなく有効であることを、Kから起こされた裁判の中で主張したのだが、六九年九月八日に、第三回目の口頭弁論が終わった後で、K側から私への暴行事件が起きた。

なお、この裁判は、二年後の七一年七月二日、代物弁済は有効であることを認めたうえで、KはNに対して示談金三〇〇万円を支払う旨の和解で終了した。

◆教訓と思い出

これもまた忘れ難い事件の一つです。なぜなら、この事件で私は弁護士に対する暴力というものを自ら体験したからです。まず予兆というものがありました。Kは、私の事務所の事務員がNに会わすと言ったのに会わさないじゃないかと文句を言ってきました。それから、何度も事務所にもやって来て、ひどい時には「お前らダンプで轢《ひ》いてやろうか」とか「中坊さん、あんたの家にも可愛い子供がいるんやろ……」とか言って脅しをかけてきたのです。

Kより代物弁済無効確認の訴えが提起され、被告ということになったNの弁護をしていたわけですが、六九年九月八日の朝一〇時より京都地方裁判所で三回目の口頭弁論が行われました。一回目と二回目の口頭弁論の時も、Kは傍聴に来て法廷を出ると私につきまとってなんだかんだと言ってくるし、また今回も来るだろうと思っていました。実は、この日私は腹痛を起こし、朝御飯も食べずに法廷に向かったのですが、Kは案の定来ていましたね。

そして、法廷を出たらすぐに私にへばりついてきて「Nに会わすという約束はどうなってる」と言ってくるわけです。私は相手にせず、タクシーを拾うべく裁判所を出て丸太町通りへ向かいました。通りに出てタクシーを止め後部座席に乗り込んだところ、Kが連れていたごつい体をした三〇歳そこそこの暴力団風の男が、突然そのタクシーの助手席に乗り込んできたんです。だけど、片足だけは外へ出している。そうすると、運転手は車を出すことができない。で、私が運転手に「今、この男に襲われて困ってるんです」と言ったんですが、運転手は「そんなこと知ったことやない。迷惑やからはよ降りてくれ」と言うんですね。すると、その暴力団風の男が「ほら見てみい。はよ降りてくれて言うとるやないか」と言う。そのままそこにいてもよかったのですが、運転手がものすごい剣幕で怒るので、仕方なく車から飛び出してすぐに駆け出しました。ところが、五メートルと行かないうちに暴力団風の男に捕まってしまった。見ると、Kがすぐそばにいるんです。そして、その男に胸倉をつかまれてコンクリートの壁に頭をガーンとぶつけられました。後頭部に手をやると血がべたっとつきました。その瞬間、「困ったなあ」という気持ちが「命が危ない」に変わりました。

とにかく男の腕を振り切って喫茶店に逃げ込みました。その店のおばさんに「今襲われてるのですぐに警察へ連絡してほしい」と助けを求めたわけです。ところが、そこのおばさんは

「突然入ってきて何を言うてますねん。はよ出て行ってください」と言うわけです。世間ですね。世間というのはそんな冷たいもんです。建前で言っていることと実際とは違うわけでね。

とはいえ、おばさんは目撃者になっているわけですから、向こうも無茶はできんやろうと多少冷静になるわけです。で、暴力団風の男と一緒にその喫茶店に入ってきたKに向かってこう言いました。

「お前こんなことしていいと思ってるのか。こっちは頭に傷を負って出血してるんやぞ」

すると、彼の連れてきた暴力団風の男は予想もしない行動に出ました。私の目の前で「お前、俺をやったな」と言いながら、自分で自分のカッターシャツを両の手で力任せに引き裂き、ばーんとボタンを弾き飛ばしたのです。そして「俺かてお前にこうしてやられてるやないか」と言う。私はびっくりしました。しかし、なぜかその時、床に落ちたカッターシャツのボタンに目がいった。男の方も気づいてボタンを拾ったけど、一個だけがコロコロコロっと、二つぐらい向こうの椅子の先の方まで転がっていったのです。私はそれを見逃しませんでした。

「弁護士が暴行を加えてもええのか。これから警察に行こう」

傍らに立っていたKは涼しい顔でそう言いました。

むちゃくちゃな話だと思いながらも、警察に行くのは安全だと考え、承知してタクシーに同乗し松原署へ向かいました。警察に着いてしばらくすると警察官が来て、こう言いました。

「中坊さん、向こうはあなたを傷害罪で告訴すると言っています。今、医者の診断書を取りにいってますので、あなたも診断書をもらってきてください」

被疑者にされた私

私は、第二日赤の救急病院へ行ってひととおり治療を受け、診断書を書いてもらってからまた警察へ戻りました。そうしたら、警察官出身の弁護士が、相手方について来ていました。警察官がこう言うのです。

「単に本人の告訴ではなく、弁護士が代理人としてついていて、その人が告訴している。今、告訴状が出されました」

私は、初めて被疑者になったわけです。

「自分は路上で暴行を受けた。現場に行ってもらえばわかるはず」と言うと、警察官が私をパトカーに乗せて現場へ急行しました。頭をぶつけられたところにわずかながら血痕が残っていて、ここでやられたと示すと鑑識の人たちが写真を撮り、手袋をはめてピンセットを持ち、道路の上を厳しくチェックしはじめました。まもなく「ボタンがあった」という声。これでほっとしました。

ところが、警察官が「中坊先生、これはちょっとあきません。ボタンが違いますよ」と言う。三個落ちてたけど一個は違う。向こうは私と「争いになった」と言ってるし、この三個のうちの一つは相手のボタンじゃないかというわけです。

「いや、うちの嫁さんがきっと一つだけ違うボタンをつけていたのでは」と説明したのですが説得力に欠ける。今日は朝から腹痛だし暴力はふるわれるし、最後までついてないなあと思いつつ、はっと思い出しました。

「そのボタンは相手のものとは違います。向こうはその先にある喫茶店の中で自分でカッターシャツを裂いてボタンを引きちぎったんです。私は、そのうちの一個が喫茶店の床の上に落ちて転がるのを目撃しました。この三つ目のボタンとそこに落ちているボタンは違うはず。そこに落ちているボタンと相手の男がポケットにしまい込んだボタンを照合してもらいたい」

そう言うと向こうの顔つきががらりと変わりました。話が実に具体的ですからね。

そして、みんなで喫茶店に移動すると、嬉しかったですね、暗がりの中にそのボタンが落ちているのが見つかったのです。そして、それは路上で見つけた三つ目のボタンとは違っていた。店のママさんも、昼間はとても冷たい態度だったのに、警察官から聞かれているということで

えらく協力的になっていて、

「はい、この人と向かい合ってた男の人が、自分で自分のカッターシャツに手をかけてボタンを引きちぎりはりました」と証言してくれた。

そう聞いたとたん、警察官は無線で松原署に連絡を取り、これは冤罪を狙ったとんでもない事件だ。捜索令状を出して、このボタンと同じものが男のワイシャツのポケットから出てきたら逮捕してくれと指示しました。

松原署に戻り、しばらくすると玄関先に街宣車が来ました。

「民族差別を許すな！」と叫んでいたのですが、私には差別をする意識など微塵もありませんでした。この件は民族がどうとか人種がどうとかという話ではなく、純粋に人間対人間の争い事として私は引き受けていたのです。したがって、Kがアメリカ人であっても日本人であっても、私は弁護士としてまったく同じ対応をしていました。それなのに、なんと私の自宅にまで街宣車がやって来ました。近所迷惑な話ですよ。

その時、ある夕刊紙の記者から自宅に電話が入り、取材の申し込みをしてきました。

「あなたが告訴されたと聞いたので話を伺いたい」というわけです。

手回しが良すぎる。なんで知ってる。どうもおかしいと思い、取材を断ったうえで、当時、その新聞の役員をやっていたある知り合いの方にお願いして調べていただいた。すると「どうやら工作した節がある。怪しい」という返事。要するに、Kが方々に段取りをつけたうえで仕組んでいたわけですね。結局その夕刊紙に載りかけた冤罪を助長するような記事は止まったし、相手方の弁護士も謝罪文を書いて持ってきた。「なんもしていない私を告訴したりして懲戒にかけるぞ」と一喝したので、慌てて持ってきたんでしょうね。とにかく、危うく罠にはまるところをなんとか傷を負っただけで免れたのですが、この事件を通じて私はいくつかの教訓を得ました。

採算に合わない仕事

まず、暴力を実際に受けてみてかなり恐ろしい思いをしたということ。そして、他人は救ってくれない、自分を救うのは自分だけだ、自分がしっかりしていないとだめだということを骨身に染みて感じました。もう一つ、弁護士としての社会的な力をもっていないと自分の身を守れないということがよくわかりました。役員さんとつきあいがあったから良かったけれど、そうでなかったら新聞という媒体を使って冤罪をでっちあげられ、社会的信用を落とすところでした。そして、ボタンの一件から「俺という男はやれる男や。暴力にも屈せずにやれる男や」

という妙な自信がつきました。いわゆる大人の弁護士になる第一歩。切り替わりでしたね。私の弁護士生活の中においても画期的な事件であったと思っています。

この翌年、ちょうど四〇歳で私は大阪弁護士会の副会長になっているのですが、あくる年に糖尿病で初めて入院するのです。自分としても、病気で倒れる前の一番ばりばりと仕事をやっていた時期で、当時の訟廷《しょうてい》日誌を見ると一日に三件か四件の事件をこなしていたことがわかります。ある意味においての全盛期ですね。

それにしても、弁護士という仕事はあまりにも採算に合っていないと思いました。依頼者に言われるとおり「強制執行」をやったら襲われた。もし重傷を負ったり死んでいたとしても依頼者から充分な補償金が出るということもない。弁護士というのは闘犬みたいなもの。依頼者自身は無傷だが、自分は闘犬として闘って傷ついて、時には殺されることも有り得る。弁護士という職業の厳しさ、はかなさ。自分でパチパチとソロバンを弾いたら、自分があまりにもみすぼらしいというか、情けない存在に見えてきました。

依頼者のために依頼者を後ろへやって自分は最前線に立って闘う。依頼者と弁護士というのは将軍と兵隊みたいなもの。向こうは命令してるだけでこっちはやらざるを得ない。そういう意味における依頼者と弁護士の関係の本質というものを、この事件を通して考えさせられました。

ケース・4　一九七〇年

タクシー運転手ドライアイス窒息死事件

◆事件の概要

一九六八年八月二一日午前八時ころ、S株式会社のタクシー運転手、山下一郎（仮名）さんは大阪市内にあるFドライアイス株式会社への配車指示を受けた。同社事務所まで赴き、従業員よりドライアイス一三個計二六〇キログラム（二〇キログラムのドライアイスを一個ずつメラミン加工をしたクラフト紙で包み、その上からさらに新聞紙で包装してあった）をタクシー後部座席に積載させ、これを大阪府下の乳業会社に運搬すべく添乗員のないまま同所を出発した。

夏季ということでクーラーをかけていたために、車窓はすべて完全に締め切って走行していたところ、一〇分ほどして大阪市北区にある新阪急ホテル北側付近路上にさしかかった際に、ドライアイスの昇華によって車内に炭酸ガスが充満。これに伴い空気中の酸素量が減少し、酸素欠乏症を起こして頭痛、思考力機能の減退、酩酊状態、眠気の複合した症状を来しかねない状況になった。

ところが、山下さんはこれが運搬中のドライアイスに起因するものであるということにまったく気づかず、気分の回復を待つつもりだったのか、意識不明寸前の状態に陥りながらもプロ運転手としての反射的動作からか、路上にタクシーを停車させ、エンジンキーを切って運転席に横たわった。こうして、酸素欠乏及び炭酸ガス中毒により同日午前八時三〇分ころ窒息死した。

七〇年に、山下さんの妻と娘はS社とF社に対し損害賠償を請求した。山下さんの妻と娘の弁護を務めた私は、ドライアイス会社には酸素欠乏の危険性を注意しなかった点で過失が、タクシー会社にも指示注意を与えず配車を命じた点において過失があったと主張。

大阪地方裁判所は、被告であるS社とF社の過失を認める一方で、山下さんの過失を否定した。そして、両社が連帯して原告・山下久美子（妻・仮名）に対して六四五万〇八三〇円、山下美和（娘・仮名）に八四〇万七六六二円を支払うよう命じた。

◆教訓と思い出

典型的な市民事件であり、稀に見る事件でした。まさかドライアイスで死ぬとは、思いもよらないですよね。

この事件は、亡くなった運転手、山下さんの父親からの相談で事件を知り、山下さんの妻・娘の委任を受け、両社に損害賠償請求訴訟を提起しました。訴訟で私は、Fドライアイス会社には従業員を添乗させず、酸素欠乏の危険性の説明もせず、窓を開けるよう指示しなかった過失があると指摘しました。また、タクシー会社にも山下さんに安全な運搬方法について指示しなかった過失があると主張し、両社が連帯して、妻と娘に対し、慰謝料その他の損害総額一四八六万一四九二円の賠償をするように求めました。

これに対して両社は過失の存否を争ってきました。ドライアイス会社は、山下さんはドライアイスの性質や危険性に対する社会的常識に欠けていたとか、現場で車を止めて仮眠をとろうとしたのはドライアイスの運搬に原因があるのではなく、前日一八時間にわたって働いた後、午前二時から六時間の仮眠しかとっていなかったので眠くなったからだなどと過失相殺を主張しました。また、タクシー会社の方も、従業員に対し貨物だけを運ぶことは道路運送法違反であり禁止していたのに、山下さんはこれに反したとして、過失相殺を主張しました。

しかし、最大の争点はドライアイスの運搬が山下さんの死亡と関係しているのか否かでした。私は大阪大学の後藤稠《しげる》先生にお願いして実験をしてもらい、その結果「昏睡状態になって意識不明になり、やがて呼吸停止を招来して心臓停止に至る」という鑑定書を出してもらいました。この鑑定がとれたということが、この裁判の勝利をもたらしたといえます。

男女の仲は難しい

ここまでは良かったのですが、ここで問題が起きてしまう。被害者の遺族は多額の慰謝料を手にするのですが、裁判中に被害者つまり山下さんの嫁さんが再婚してしまうのです。私は唖然としましたね。庶民というものの難しさを感じました。事件というものは、単に法廷だけではなく非常に難しいことがあって、私にしてみれば悔やまれる仕事でした。

私のところへ足を運んでいたのは主として亡くなった運転手のお母さんでした。孫がかわいそうだということもあって一生懸命でしたね。長い間弁護士をしてきて一つの傾向というものがあるのではないかと考えています。それは、子を亡くして親が残る事件というのは親は最後までとことんやるんですね。ところが、子供とか嫁さんというのは、実際は相続権があるのにさほど懸命にならないことが多々あります。必ずそうだというわけではないのですが、子が親を思う気持ち、あるいは妻が夫を夫が妻を思う気持ちというのは、親が子を思う気持ちにはやっぱり及ばないものです。

さて、現在の相続制度からすると山下さんの慰謝料が入っても彼の親はまったく関係ないということになります。実は、慰謝料を得た嫁さんは亡くなった山下さんの親には一銭も渡さなかったんですね。これは、裁判としては完勝したけれど実に後味が悪い事件でした。

とにかく、私は男女の間とか親族の間とかの事件はだめ。この手の事件は引き受けないようにしています。「平成の鬼平」中坊は仕事はできるし有能な弁護士だと言われていますが、所詮は「お坊ちゃん」なんです。結局、人の心の襞《ひだ》や情念を読むということができない。今も司法の一元化問題に取り組んでいますが、はたして自分は「良識」というものをもち合わせているのだろうか、自分は弁護士から裁判官になっていける人だろうかと自問自答したら、私は間違いなくだめなんです。これが私の限界です。そういう意味では「良識」をもち合わせていない欠陥商品なんです。

この事件についても、嫁さんや親と会っている時にどこかで私が見抜かないとだめだった。もし、わかっていたら、嫁さんに対して「法的に渡す義務はありませんが、慰謝料はお母さんと分けるということにしませんか」と事前に話をすることができました。相手方から取るところまでは成功してるけれど、取ってから後の始末についてはまったく頭になかったわけです。

人の心、特に男女の関係というのはとんと苦手です。私も人生の中で失恋だとかそういうことを重ねていたら、この事件でも、もうちょっと冴えた解決ができたと思います。もっと苦しまないといけませんね。

ケース・5　一九七三年

森永ヒ素ミルク中毒事件

◆事件の概要

一、被害の発生

森永乳業は乳製品の溶解度を高めるために、一九五三年四月ころより協和産業から第二燐酸ソーダを購入し原料乳に添加していた。一方、日本軽金属の清水工場では、五四年ころからアルミニウム製造過程で産出する燐酸ソーダその他のヒ素化合物などの利用方法を、各所に照会していた。静岡県知事は、このことを同年一〇月ころ知り、一一月一日に厚生省に毒物にあたるか否かの指示を求めたが、厚生省は直ちに回答せず、静岡県知事もそのまま放置した。そのため、日本軽金属のヒ素化合物が市場に出回り、協和産業を通じて、森永乳業徳島工場で生産する森永ミルク中に混入するに至った。

五五年六月ころから、西日本一帯の乳幼児の間に、原因不明の奇病が発生しだした。これらの乳幼児は、だんだん元気がなくなり下痢あるいは便秘が続く、乳を吐く、高熱が続く、お腹が大きく膨れあがる、皮膚が黒くなるなどの症状を呈していた。岡山大学法医学教室で調査を行ったところ、森永ミルクＭＦ缶五五一六（粉ミルク）からヒ素が検出された。

同年八月二四日に岡山県はこの事実を公表し、厚生省は商品の回収を命じるとともに販売を禁止。森永乳業徳島工場の閉鎖を命じた。厚生省によると被害者は一万二一三一名で、うち一三〇名が死亡とされているが、実際の被害者はこの二倍にも達すると推計されている。

このように奇病の原因が明らかになる中で、九月一八日には「被害者同盟全国協議会」(全協)が結成された。森永乳業は当初全協を被害者の代表として認めようとしなかった。しかし、一〇月五日になってようやく「全協」を代表として認め、第一回中央交渉がもたれた。ところが、森永乳業はこれとは別に厚生省に斡旋機関を設けるよう陳情し、一〇月二一日、厚生省は弁護士・マスコミ関係者らで構成する「五人委員会」を結成した。

この委員会は、一二月一五日、補償金額を死者二五万円、患者一万円(入院患者への追加は二〇〇〇円まで)とする意見書を発表した。以後、森永乳業は五人委員会の裁定をもって会社の決定とするという態度に終始し、全協との交渉は難航した。そのため、翌五六年四月九日、全国一斉精密検診を行い、後遺症研究機関を設置することと引き換えに、全協を解散するという妥協を強いられることとなった。しかし、ほとんどの患者は「全快」と言い渡され、設立された機関も後遺症研究とは別のものであった。

二、「一四年目の訪問」

六九年に「森永ヒ素ミルク中毒事後調査の会」が、大阪における患者六八名の追跡調査を行い、その結果が「一四年目の訪問」として発表された。そして、このことが、同年一〇月一九日の朝日新聞で報じられたことが契機となり、「森永ミルク中毒の子供を守る会」が結成され、森永乳業と交渉が重ねられるようになった。また「守る会」の要請を受けて、七二年九月五日に「森永ミルク中毒被害者弁護団」が結成された。同年一二月三日、「守る会」と森永乳業との交渉は決裂し、一二月一〇日「守る会」は被害者の生涯にわたる恒久対策を実現するため民事訴訟を提起することを決定した。そして、七三年一月、私は「森永ミルク中毒被害者弁護団」への団長としての参加を要請された。

◆教訓と思い出

弁護士としての転機

「勝負」に滅法強かった私は、勝てる弁護士としての実績が評判を呼んで東京オリンピック（六四年開催）のあたりから弁護依頼が殺到しはじめました。顧問弁護士を務める企業も増え、それに伴ってある程度の財を成し、七〇年には大阪弁護士会副会長に戦後最年少で就任しました。年齢は四〇歳、一番勢いがあった時期ですね。しかし、正直申し上げて社会問題というものにさほど関心はもっていませんでした。ちょうどそんなころ、この事件とかかわりあうことになります。まさに弁護士・中坊公平の転機が訪れたのです。

七二年の暮れに「森永ヒ素ミルク」の被害者の親たちが結集して民事訴訟を準備したのですが、伊多波重義《いたばしげよし》弁護士ら若手の弁護士たちは、六九年ころからいち早くこの事件に取り組んでいました。彼らは皆、当時、保守派から左翼集団と言われていた青年法律家協会（青法協）に在籍しており、伊多波さんは大阪支部の事務局長でした。七三年の一月、その伊多波さんが私のところへ来られたのです。「四年間自分たちでやって来たけれど、裁判を起こすことになったので弁護団に入ってくれないか」と言われました。弁護団の一員として名前を連ねてほしいといった形式的なことではありません。なんと「弁護団長になってほしい」と言われたのです。

私はびっくりすると同時に思い悩みました。というのも、私自身も「青法協」のメンバーではあったのですが、これはほとんど「おつき合い」で入っていただけです。せっかく弁護士としての人気も上がり大きな企業の顧問もやるようになったというのに、森永という大企業や国を相手にして闘うようなことになれば、自分への評価が歪み「いいお客さん」を減らすことになるのではないか。妻や子や事務所のことを考えるとやめておくべき、と自慢の勘が赤信号を点滅させたのです。

父の意外なアドバイス

最初の「H鉄工事件」のところでも申し上げましたが、私の父・中坊忠治も弁護士でした。父は京都弁護士会の会長を務めたこともあるのですが、共産党が強い京都において左翼嫌いの保守派として知られていました。私としてはそんな父のところへ行って相談をすれば、「青法協の連中がやってる『森永』の弁護団長なんて絶対やめとけ」と叱ってくれるに違いない。そしたら、伊多波さんに弁護団入りを断る意志も固まると考えていたのです。

伊多波さんから依頼を受けた後、記録を読み、二週間ほど経ったある日、私は父の家に行って話を切り出しました。そして「やっぱり、やめといた方がええよね」と言ったその時、七四歳になる父は、四三歳の息子にこう諭したのです。

「情けないことを言うな。お父ちゃんは公平をそんな人間に育てた覚えはないぞ。この事件の被害者は誰や。赤ちゃんやないか。赤ちゃんに対する犯罪に右も左もない。お前は確かに一人で飯を食えるようになった。しかし、今まで人の役に立つことを何かやったか。小さい時から

1973年、大阪地裁へ出向く原告団（本人・中央）

出来が悪かったお前みたいな者でも、人様の役に立つなら喜んでやらしてもらえ」

意外な言葉に胸が熱くなりました。子供のころから父によく「弁護士というのは、弱きを助け、強きをくじく職業だ」と言われていたのですが、そのことが本当にわかりました。そして私の意志は固まりました。

団長を引き受けたものの、記録を読むうちに私は、因果関係について疑問に感じる点が出てきました。これは本当に弁護の対象となる事件なのかと考えたわけです。そんな疑問を払拭し確信を得るためにも、「この際、本格的に被害者の実態を調べたい」と伊多波弁護士に相談したのですが、彼は疑問を抱いているという私を責めるどころか「中坊さん、ええとこに気がつかれましたね。それでは、及ばずながら私も同行させていただきます」と言われた。大した人です。それからまもなく、私は彼と二人で被害者訪問を開始しました。そして、時には当時はまだ若手だった金子武嗣《たけし》弁護士と三人で、一年間にわたってほぼ毎週、土曜、日曜は被害者のお宅を回らせていただいたのですが、ぼんぼん育ちの私は、この訪問で自分がまったく知らなかった世界を目の当たりにしました。

手足の動かない体を屈め、ベークライト製の皿に注がれたお茶を嘗めるように舌で飲み干して幸せそうに微笑む被害児。近所の子供らに「アホー」と蔑《さげす》まれ、水や砂をかけられても笑っていながら、自分の家に戻るなりわっと母親に泣きすがる被害児。「被害児」といっても、みんな一七歳、一八歳です。そして、そういった子供の世話をする母親たちが、ヒ素が混入されたミルクを製造販売した加害者ではなく、ミルクを飲ませた自分自身をひたすら責め続けるという悲哀。罪なくして罰せられ、地を這うようにして生きる被害者家族の現実はあまりに惨《むご》かったのです。

私は全身全霊を傾けてこの弁護に取り組みました。そして、その活動の中で大きく変わっていきました。

この裁判は個々の救済や損害賠償を請求するために訴えが提起されたのではなく、「恒久救済対策」を実現するための一環として、あるいは礎石・武器として提起されたのでした。この点が森永裁判を考える場合の一番根底をなす特徴といえるかと思います。

紛争解決のためには法廷裁判こそがすべてというのが常識でしたが、私は裁判と並行して不買（売）運動を進めたりしながら、国（厚生省）、森永、被害者の三者会談を重ねるという策をとりました。そして、被害者の方々や弁護団の粘り強い闘いの結果、国は積極的な援助を約束しました。また森永は企業責任を認めて謝罪するとともに、被害者の恒久対策のために救済資金を無制限に負担することを約束しました。

自殺さえも考えた

しかしながら道は決して平坦ではありませんでした。「守る会」と弁護団との間に大きな溝が生まれ、やがてそれが誤解や不信感に発展することもありました。若手弁護士らは、国と森永に因果関係と責任をきっちりと認めさせるために、裁判に勝って両者の法的な責任を明らかにすべきだと主張する。「守る会」の一部幹部は、弁護団は救済のためではなく主義主張のために裁判をやっている、裁判に固執せずに三者会談で合意した策で救済を始めるべきだと主張する。弁護団と「守る会」の間に入った私は、正直申し上げてかなり苦しんでおりました。

そんなある日、私が「守る会」のある理事に会ったら、彼は「守る会」としては「弁護団全員の解任も考えている」と言うのです。被害者に喜んでいただこうと誠心誠意尽くしてきたのに、そんなことを言われるとは思いもかけず、私は大きなショックを受けました。この理事の家を出て、近鉄電車の駅のホームで電車を待っている時、私はやって来た電車に身を投げそうになりました。衝動的とはいえ、私は自殺を考えてしまうまで疲れ果てていたのです。この時期に私は糖尿病から低血糖症となり、意識障害も来すほど体調を崩してしまいました。

結局、私は、三者会談で決まったいくつかの対策の内容や被害の因果関係を、口頭弁論において国や森永に一つ一つ認めさせ、裁判所の公式記録にとどめました。そして、そのうえで提訴を取り下げました。同時に森永製品の組織的な不買運動も収束させました。

不充分な点はあるでしょうが、この事件で私は弁護団長としての大任を果たせたのではないかと思っています。それにしても、被害者訪問とは私にとってなんであったのか。それはまさしく私の青春でした。あまりにも遅い青春でした。それでもこれが私の弁護士としての大きな転換点になったことは間違いありません。

七三年、五月三一日。これは、森永ヒ素ミルク中毒事件の第一回口頭弁論の期日です。私は、この冒頭陳述をすべて暗記していました。原稿にまったく目をやることなく、一語も間違えずに弁論を行いました。私の人生の中で最も気迫がみなぎっていた時でした。四〇分近い弁論を終えた時、裁判官の表情に変化が表れ、この事件の真相を理解しはじめてくれていると実感しました。激しい喜びと感動が込み上げてきたことを昨日のことのように思い出します。私にとって、終生忘れることのできない冒頭陳述です。

[冒頭陳述]

母親たちの自責の念

本事件の審理を開始されるに際し、原告弁護団を代表いたしまして、本件裁判の意義について、意見の開陳を行いたいと思います。

まず、本事件を考えます時、私たちが一番に銘記しなければならないこと、それはこの事件の被害者が当時すべて乳幼児であったこと。そしてまた、毒物が混入された物質がその乳幼児の唯一の生命の糧であったという事実であります。

私は原告弁護団長を引き受けて以来、数多くの被害者のお宅を一軒一軒訪問して回りました。

そして、そこで多くの母親たちに面会しました。その母親たちが私に一番強く訴えたことは、それは意外にも被告森永に対する怒りではありませんでした。その怒りより前に「われのわが手で自分の子に毒物を飲ませたという自責の叫び」でございました。

昭和三〇年当時、被害者は原因不明の発熱、下痢を繰り返し、次第に身体がどす黒くなっていき、お腹だけがぽんぽんに腫れ上がってきました。そして夜となく昼となく泣き続けたのでありました。そういう場合に母親としては、なんとかしてその子を生かせたい助けたい一心で、そのミルクを飲ませ続けたのです。そのミルクの中に毒物が混入されていようとはつゆ考えておらなかったのであります。

生後八カ月にもなりますと赤ちゃんは、すでにその意思で舌を巻いたり手で払いのけたりして、この毒入りのミルクを避けようとしたそうであります。

しかし、母親はそれをなんとかあやして無理にミルクを飲ませ続けたのです。その結果、ますますヒ素中毒がひどくなり、現在の悲惨な状況が続いてきたのであります。

この一八年間、被害者が毎日苦しむ有り様を見た母親が自責の念にかられたのは当然でございます。母親たちは言いました。私たちの人生は、この子供に毒入りミルクを飲ませた時にもう終わりました。それから後は暗黒の世界に入ったみたいなものです。私たちは終生この負い目の十字架を負って生き続けなければならない、かように叫んだのであります。

この母親たちのこの自責の念というものは一体どこから出ているのでしょうか。この母親がなぜこういう叫びをするのか、これは自分の子供が自分に寄せている絶対的な信頼を裏切ったことに対する自責の念なのです。安らかに眠っている子供を見て、母親だけを信じているその子供を裏切ったことに対する自責の念なのです。

しかし、この自責の念はひとり母親だけのものでしょうか。私たち人間が赤ちゃんとしてこの世の中に生を受けた時、私たちはすべて私たちより先に生まれてきた人間を信じて生まれてくるのです。またそうでなければ生きていけないのです。したがって逆にこの世に生を受けている人間というものは、生まれてきた赤ちゃんに対しては絶対的に保護し、育成しなければならないのです。それは単なる義務ではありません。まさに人間の本能なのです。しかもこの本能は人間が地球上に生き続けていくための基本的な本能なのです。したがって、乳幼児に対する残虐行為ほど弁解の許されない行為はないはずであります。また、これほど社会的に非難を受ける行為もないのであります。

いわんや、その乳幼児の唯一の生命の糧であるミルクに毒物を混入させた本件事案においてその責任を曖昧《あいまい》にするということは、人類が自ら自己を抹殺することにもつながると私は考えるのであります。私は本件事件の審理をいただくに際しまして、まず第一番目にこのことを深く再認識すべきものだと信ずるものであります。

消費者と企業、国家の関係

第二番目に私たちは、消費者として被告森永並びに被告国の責任を考えなければならないと思います。被告森永は言うまでもなくわが国屈指の乳製品メーカーであります。およそ食品というものは、有害なものであってはなりません。有害な食品というものはすでに食品ではないのであります。したがいまして、製品メーカーとしては製品に対する絶対的安全性の確保の義務こそが己の最高の義務であります。被告森永はまさにその義務に違反したのであります。しかも、より非難すべきはその義務の違反の態様が自己の企業利潤を上げるためのみであり、安全性を犠牲にしたということであります。

そもそも、このミルクに添加されたという第二燐酸ソーダにしても、新しい牛乳であればそれを使う必要はなかった。現に森永は、今は使っておられないわけであります。私は過日徳島地方裁判所の刑事事件におきまして、森永の弁護人の弁論を聞きました。その時、森永の弁護人はこうおっしゃっていました。

「私たちに過失はない。私たちは第二燐酸ソーダを協和産業に発注したのです。協和産業が間違えて第二燐酸ソーダと似て非なる日本軽金属から排出された産業廃棄物を納入したのです。なるほど、一般の主婦が八百屋において物を発注する時にはキャベツを発注しても白菜が入ることもあるでしょう。しかし森永というような専門の業者の間においては、違うものが入るというようなことを考える必要はなかったのです」

このように弁論されるのです。

何十万というこの調製粉乳を製造する専門的メーカーの方が、つきつめれば一般の主婦よりもその注意義務が軽減されるとさえおっしゃるのです。

ここに被告森永の製品の安全性に対する基本的な考え方の誤りを私は見出しました。しかも現在なおその誤りを固守し続けられているわけであります。そして己の責任を、自分のところへ納入した協和産業、あるいはそのもう一つ手前の松野製薬などになすりつけまして、あるいは滑稽にも国にも己の責任をなすりつけておられるわけであります。

しかし、同じ日本軽金属から出た産業廃棄物で南西化学株式会社を経て、国鉄仙台鉄道管理局に納入されたものがございます。その際国鉄は、これを清罐用、すなわちボイラーを洗う清罐用としても、使うに際しましてはその品質を検査し、ヒ素を発見して返品しているのです。

同じ物質を森永はなんの検査もなく、こともあろうに乳製品のしかも乳幼児の飲む調製粉乳の中にこれを混入させたのです。

被告森永の責任は極めて明らかであると言わねばならないと思うのであります。

しかも私たち消費者としてなお許せないことは、被告森永はこの物件を、このドライミルクをどのように宣伝して被害者たちに売りつけてきたかということです。

当時、森永はラジオあるいは新聞を通じて「身体の丈夫な頭の良い子を育てましょう。それには森永ドライミルクを飲みましょう」と言って宣伝しました。これほど親にとって甘いささやきはありません。誰でも自分の子供は賢くなってほしいのです。丈夫になってほしい。そのところにつけこんでまず宣伝したのです。

ここに、私が持っておる森永ドライミルク、これはまさに、昭和三〇年当時あなたたちの徳島工場で作られた問題のMF缶であります。

このMF缶にあなたたちは、なんと書かれたか。これによればあなたたちは「森永ドライミルクは、医師の指示に従って乳児用として作られた最も理想的な高級粉乳です。本品は純良牛乳、砂糖及び乳児に消化吸収しやすい滋養素を加え、その他乳児の発育に必要な各種ビタミン塩類を添加して衛生的に乾燥粉末したものであります」と印刷させています。

どこが本当に理想的な粉末乳であり、あるいは衛生的な設備で作られたものだったでしょうか。

己が自分の安全性義務の軽減の時には、先ほど申し述べたように軽く主張されながら、宣伝する時には、かような誇大な宣伝をされたのです。

しかも、私は、過日被害者の一人であり、原告の一人でもある方の自宅に訪問した時、その被害者の持っておる母子手帳を見ました。これは昭和三〇年当時の被害者の持っておった母子手帳なのです。この母子手帳のファイルにまであなたたちは、このカバーをつけまして、そのカバーに森永ドライミルクという文字をつけさせておったわけです。

被害者は、買う時から、また子供を産む時からもらう母子手帳に、森永ドライミルクという表示をつけてもらっていたのです。

しかも、この被害者のいたところは日本海に面した加悦町という極めて辺鄙《へんぴ》な場所でありま す。一日がかりで行かなければならないところなのです。そんな辺鄙な場所にすら、あなたたちは宣伝する時には、あらゆる方法を通じて宣伝しました。また、いわゆる地方公共団体とも癒着して宣伝したのです。他方、己の責任はかように曖昧に考えながら、宣伝の時には、かくまで徹底的な宣伝をしたのです。私は、このことを特に強調したいと思うのであります。

次に、被告国に対しまして、国家というものは国民の健康を維持し、その生命を保持しなければならないという義務があります。それはまた国家としての国民に対する基本的な義務であると考えるのであります。

しかるに、日本軽金属から出た産業廃棄物に対する回答を一年近くも遅らせたり、あるいは、食品衛生法の添加物の規制を自ら緩めたりしたこと、これはひとり行政上の怠慢というだけではなしに、企業の利益のために一般の消費者を犠牲にしたといっても過言ではないと思うのであります。

このように、本件事件はまさに消費者と企業あるいは国家という関係を裁く裁判であります。私はこの点を第二番目に強調したいと思うのであります。

公害被害者は二度殺される

第三番目に、この事件を公害事件として見ました時に、この事件はもちろん数多くの乳幼児を死なせたという食品公害における世界史上類を見ない大惨事であるということは、言うまでもない。しかし、私はこの観点において特に強調したいのは、被害者の圧殺ということなのであります。

これまでの森永あるいは国の責任といったものは、これはあるいは過失で誤って作った行政上の怠慢であったと言われるかもしれません。

しかし、被害者の圧殺ということに関しましては、それはまさに過失ではなくして故意なのです。しかもこの点までまいりますと被告森永と国とは完全に共謀して、このことを実行したのであります。昭和三〇年一一月二日、あるいは昭和三一年の三月二六日の通牒によって治癒基準を作り、そして形式的な一斉検診を行って、これらの被害者を、もう後遺症がないといって打ち切ったわけであります。

その結果、大多数の被害者は、お医者さんから「もう大丈夫だよ」と言われることを聞いて喜んで帰りました。何も医学上のことはわからない被害者は、それで喜んで帰ったのです。

また、一部の人たちは、その当時、なお症状が続いていた人も何人かありました。その人たちは、ある場合には入院しておる病院から強制退院までさせられたのです。そして、一斉検診後、なお症状の続いている人が森永に参りますと、森永さんはなんと言われたか。「あなたたちだけ治療費は払いましょう。よその人には言わんといてください。これは表面沙汰にしないでください」。この原告の中にもそういう人が何人かあります。このようにして、表面上は何も後遺症はないと言って打ち切ったのです。しかし真実は、その後症状は依然として継続していたのです。その結果、多くの被害者たちは、行政機関からも医者からも見放されました。その後子供たちの親は子供が悪くなる、あるいは、目が見えなくなる、あるいは、耳が聞こえなくなる、あるいは、てんかんの発作が続く、原因不明の吹き出物が出てくる、こういったたびに、それぞれの医者へ駆けつけました。しかし、どの治療も効果がなかったのです。

そういう時に、母親たちは「ひょっとしたら乳幼児の時にヒ素中毒にかかっておるのです。それとお医者さん、関係があるのではないでしょうか」という言葉を言いますと、お医者さんは、たちまち態度を急変させまして「ヒ素中毒の関係の診断書は、当院では書けません」と言って断るのです。親たちは言いました。「私は診断書が書いてほしいのではない。この子供の病状がヒ素に関係があるのかどうかわからないけれども、あるんならなんとか治療する方法を考えてほしいのです」と頼みましたが、お医者さんたちは、すべて、にべもなくその申し出を断ったわけであります。

そして、世間からは、あの人たちは自分の子供が先天的な病気なのに、それを森永のせいにしているといって冷たい目で見られてきたのです。「一四年目の訪問」によって、ようやくそれが回復されたと、お考えになるかもしれません。しかし、実態はそれから以後も、お医者さんに言っても、あれは一養護教諭の言っていることなのだとして、相手にもされないのです。

現在、被害者たちは医者並びに人間に対する限りのない不信感をもっております。

このような悲惨な状況に追い込まれてきたのも、被害者圧殺のせいなのです。私は、公害事件におきまして、公害の被害者は二度殺されるという警句を思い起こします。一回は、事故によって、一回は、第三者機関などによって殺されるというのです。私は、森永事件において、この典型的な原型を、ここに見出すものであります。

この事件後に発生したチッソあるいは新潟の水俣病において、これと同じようなことが行われておるのです。この二つの事件においては、裁判によってその二度目の壁は打ち破られました。私は、この裁判において、この原型について終止符を打たれ、「公害の被害者は、二度殺される」というような警句が、少なくとも日本語ではそういう言葉がなくなることを期待して、この裁判を進めていきたいと考えております。と同時に、被告森永に対して申し上げたい。

あなたたちは、この事故が起きた当時、森永の資本金は四億五〇〇〇万円、それが現在は資本金六〇億の巨大な企業となって、私たちの前に大手を広げて構えておられます。しかし、あなたたちがかように大きな企業になった陰には、その被害者たちの圧殺があるということも忘れてはならないと思うのであります。と同時に、あなたたちがいかに被害者を抹殺しようとしても、この被害者が叫んでいる声は消せないのです。あなたたちの手によっては、永久に抹殺できないものであることを私は強調したいと思います。あなたたちが本当に被害者を救済してあげるまで、この声は叫び続けるのであります。

懸命に生きる被害児たち

私は第四番目に、その結果、現在の被害者がどのような悲惨な状況下にあるか、ということについて、二、三申し述べたいと思います。これはすべて原告に関することであります。

原告のうち、すでにご存じのように小西健雄君と藤井常明君は死亡しております。昭和四六年と昭和四二年にそれぞれ死亡しております。どのような死に方をしたか。彼らは二人ともてんかんの発作を繰り返し、病院への入院を繰り返しながら、枯木のように痩せ細って、死ぬ前の約一週間というものは四〇度に近い高熱にうなされ、全身脂汗をいっぱいかいて、ある場合には、額に原因不明の吹き出物をいっぱいできさせて、そして長い間、終生離すことのできなかったおむつに、糞を出す力もなく糞の中にまみれて死んでいったのです。

のみならず彼らが生存しておる時、それ以外にも原告の中には、何人かの精神薄弱児がおられます。

この人たちは、心ない世間の人たちから阿呆と呼ばれています。そして外へ遊びに行くと、がんぜない子供たちは、逆にこの子供をいじめるのです。阿呆と言って罵られたり、あるいは殴られたり、蹴られたり、ひどい時には頭から砂をぶっかけられたり、水をかけられたりして、家へ帰ってくることも少なくなかったと聞きます。そんな時、この子供たちは、決して泣かなかったのです。泣かないのは、わからないからだろうとお考えになると思います。しかし、この子供たちは、家に帰って来て、母の手にすがった時には泣き叫んだのです。この子供たちは本当は非常に悲しかったのです。悲しくても抵抗しようにも、一本の健康な手も足もなかったのです。

原告の中にK君という少年がおられます。

彼も同じように、かなりひどい発作を繰り返しております。彼は、自分のその発作が起きてきて、そして粗暴な振る舞いをしだすことが事前にわかるのだそうであります。そうすると、屋外に出て屋根に向かって、石を投げつける。それでも、どうしてもおさまらない彼は、家の中に入って来て、弟や妹の勉強している机を荒らすんだそうです。

小さい時には、お父さんは、それを押しとどめました。なんとかして止めました。しかし、それが大きくなってきてお父さんの力では止められなくなってきました。お父さんはついにK君がいかに可愛くても、ほかの子供を全部犠牲にすることはできないということで、この子を強制的に精神病院へ入れようと決意しました。しかし、その話をする前にK君の方から、自ら「私が精神病院に行きます」と言いました。

K君は現在も、精神病院に入っており、そこから「お父さん、高等学校へ通います」と言って、精神病院から高等学校へ通学しておるのです。時たま帰ってきても日暮れになる前には病院へ帰るという。家にこれ以上いては、家に長くいたくなる。なんとかして逆に早く帰って行くのだそうであります。日暮れになる前に帰って行く、精神病院に帰って行くのを見送られる子供、並びに見送る母親の気持ちは、一体どんな気持ちでしょうか。

滋賀県の原告のある子は、ここ数年前から右眼が失明して参りました。充分働くにも働けないのです。それでも中学校を卒業後、二、三の転職を重ねて、現在、あるスーパーに勤めるようになりました。私が訪問した日、彼女はたまたま出勤していましたが、本来ならば休暇の日でありました。しかしお父さんは言いました。「本人は今、このスーパーの勤めているところですでに森永の子だということがわかりました。そして目が見えないならやめてくれと暗に言われておるんです。ここで、首を切られちゃもう働きに行くところがない、生きて行く自信がないのです。なんとかして首を切らないでください。自分は片方が見えなくとも一般の人たちと同じように働けますと言って、彼女は休みの日にも働きに行く」のだそうであります。

被害者は、それなりに一生懸命なんとかして、この世の中で生き続けていきたいと働いております。

しかし、その子供たちの前に控えておるものは、それはいつ、何時《なんどき》どういうことが起こるともしれないということなのです。この病気はそこにまた特徴があるのです。多くの被害者は、あるいは突然修学旅行に行く前の日に、便所の中で、てんかんの発作を起こし、それ以来頻繁に、てんかんの発作が起きる。バスの停留所からバス会社の人の電話がかかってくる。お母さんは、いつも電話を聞くたびに、またどこで倒れたのかと心配しなければならない。あるいは、ここ数年前から突然お腹のあたりに幾百幾千という赤黒いアザがいっぱいできてくる子もいます。

このように、突然どんなことが起こるかもしれないという不安の中に、これらの被害者は暮らしておるのです。しかもその発病形態が極めて多様でありまして、ある子は指になんの指紋もできないほど、皮がむける。あるいはすぐ吐いて、洗面器に一杯ぐらい吐かなければ止まらないほど吐く、こんないろんな症状を呈してくる子供もあります。

私がある家に訪れた時、娘さんと母親と二人おりまして、二人とも目をいっぱい腫らして泣いておった跡が私にははっきりしました。お母さんが言いました。

「この娘は受験勉強をしたいと言うんだけれども、勉強しようにもどうしても身体がいうことをきかない。癇癪《かんしやく》を起こして今朝から畳をかきむしって泣く」

母親はこれに対しなんのなすすべもなく、共に肩を抱いて泣く以外に方法はないのです。

母親は訴えております。

この子供たちは、今まさに問題の一八歳前後になろうとしております。この人たちの青春はもちろんありませんでした。しかしこれからがまさに問題の年なのです。また異口同音にこの親たちが言うことは、自分たちはいずれ先に死ぬ、残ったこの子の面倒を誰が見てくれるかということなのです。この事件において被害者の救済が真に望まれるゆえんはまさに、この点にあるのであります。

青春を取り戻したい

第五番目に、私はこの事件の審理に入るまでの経過について若干申し述べたいと思います。守る会の人たちは、今まで森永との間で長い間の自主交渉を続けて参りました。その間、森永の方は世論を欺くためだけに昨年の八・一六声明のように法的責任を認めるのだといったようなことまでおっしゃいました。あるいは今度の、この裁判が始まる数日前にも、守る会の本部にそのような文書を出されたと聞きます。しかし、話をつめて聞けば、私たちには法的責任はないのだ、とこう言われるわけです。

責任を認めないところに本当の交渉あるいは補償などあり得ないことは、わかりきっていることなのです。世間を欺くためにだけこのような形をとって、真実はなんの真心からなる救済も行わないで本日に至っておるのです。それのみか、この裁判が事件後一八年を経てやっと起こされた。起こすことについて森永はどのように妨害をしてきたか、私はたまたま自分の手許《てもと》にこのような確認書を持っております。

これは、森永の現地駐在員のある方が、守る会の堺支部との間で交わした確認書なのです。それにはなんと書いてあるか。「因果関係については訴訟をしないことを前提とした方に対しては認める立場で救済に当たる」、端的に言えば、裁判を起こすのなら救済はしてやらないということなのです。こんな非人道的な言い分が一体どこにありますか。裁判をやれば、治療費も払ってやらない。

この原告の中に重症児の何人かが欠けております。その親たちは言いました。

「先生、私たちは卑怯でしょうか。しかし今、森永から受けておるわずかな治療費でも切られるということはつらいのです」

私たちは「おじさん、無理することはない」、そう言いました。何人かが欠けておるのもそれがためなのです。原告三六名はそういうようなことも踏み切って、この原告となって裁判を提起しておるのであります。

これらの被害者は決して金銭の補償を主たる目的にしておるのではございません。本当の願いは、言い古された言葉ではありますが、やはり身体を元の健康な身体に返してほしい、失った青春を取り戻したいということなのです。そして、それが少しでも実現できるようにといって具体的救済案なるものを提案しておるのです。まさに、この裁判はこのような意味をもっておるわけでございます。

私は、この審理を始めるに際しまして、最後に裁判長に一言お願い致します。どうか一日も早い迅速な、しかも公正な審理と公正な裁判をお願い致します。同時に人間として、子をもつ親として温かい審理をしてやっていただきたいと思うのであります。

同時に被告森永と国に申し上げます。今からでも遅くない。今からでも遅くないんです。日々あなたたちが犯している罪を考えて己の責任を率直に認め、真に被害者の救済に当たられんことを切願して止みません。以上をもちまして、私の意見の開陳を終わります。

（編集部注・語句等については、一部訂正している箇所があります）

「森永裁判」をかえりみて

被害者の恒久的救済のために

まことに難しい裁判でした。

この訴訟の原告は、もちろん被害者個人個人だったのですが、裁判の目的は被害者の恒久的救済を実現することでしたから、実質的には「守る会」という組織が事件の依頼者になっていました。しかし、現行の裁判制度ではこのような団体が原告となるようなことは認められていません。そこで、原告と「守る会」が確認書を交わし、たとえ勝訴してもそのお金は個人の懐には入れないことを決めていました。

請求の趣旨には被害者一人当たり一〇〇〇万円を支払うように書いてありますが、私たちが真に求めていたのは「恒久救済対策案」が示している体制を築くことだったのであり、決して一人一人に一〇〇〇万円をくれ、ということではなかったのです。この点において、裁判の形態と実質が異なっていたのです。

また、裁判である以上、最終的には公正な判決を求めました。しかし、この事件は判決の獲得のみを目的としていたのではなく、審議を通して、森永・国の各責任や因果関係・未確認問題などに対して、彼らがかたくなに拒否する欺瞞《ぎまん》性を暴露することにあったのです。ここに、形式的に求めていることと実際的に求めていることとの相違がありました。

しかし、この裁判を純粋な運動論だけで割り切れるかというとそうではない。もし「守る会」との交渉が実現されなければ、訴訟によって個人を救済しなければならないという要素もあったわけです。その場合には、被害者個人が形式的原告ではなく実質的な原告となって金銭の支払いを求めざるを得ない側面ももっていました。

時効期限との闘い

また、不法行為による損害賠償には短期と長期の消滅時効がありますが、長期は二〇年です。つまり事故発生から二〇年経つと、いかなる場合でも損害賠償はできない。七三年はその消滅時効の二年前に当たっていました。したがって、訴訟の進行の中では迅速さが何よりも要求されていたのです。

このため、毎月二回の連続開廷という手続きがとられました。このような訴訟の進行はいまだかつて聞いたことがなく、日本の裁判史上からいっても画期的なことでした。この迅速性ということから、七三年四月に訴えを提起し、早くも九月一一日には第四回口頭弁論を行いました。そして、一〇月から翌年四月までに一〇回の証人尋問を行い、私たちの立証が完了しました。

このような進行の中で、森永の過失責任を実質的に認めさせるような形の釈明要求をしていきました。国の責任ということについても、これは極めて困難な問題でしたが、私たちなりに主張を尽くし、相手方の主張にも反論を加えていきました。やがて被告側の実質的反論は、次第に少なくなっていきました。

またこの事件の核心になったのは、因果関係の立証でした。これは単に長い時間が経過したから困難であったというのではなく、被害者全員について立証されなければならないという困難さだったのです。これを法律用語では「集団的因果関係論」というのですが、個人の個別的症状と有毒ミルクの関係を立証するのでは足りず、むしろ包括的に立証しなければならないという問題を抱えていたのです。

これは、協力を得た医療関係者によって一六都府県で実施された自主検診がその根底となりました。この全資料が裁判に提出される中で因果関係の立証が進められたのです。このような医療関係者の方々をはじめとする専門家の援助なくしては、短期間であのような立証をすることは到底不可能だったと思います。

さらに助かったのは、七三年一一月二八日、徳島地方裁判所の刑事裁判で有罪判決が出されたことでした。判決の中では国の放置責任にも触れており、被告の加害企業・森永の過失責任を認めないというのは通らないんだという点も明確になり、森永・国を決定的に不利な状態に追い込むことができました。

武器としての裁判

さて、この裁判は不買（売）運動と並んで、「守る会」が森永・国と交渉する際の武器でした。したがって、裁判の進行とは別に「守る会」による森永・国との三者の交渉が継続して行われていたのですが、五回目の会談において、七三年一二月二三日付で五項目からなる確認書が交わされました。これがその後の救済体制の基礎を形作ったのだと考えています。

確認書は、森永は加害企業としての責任を認め、救済委員会の判断・決定するところにより救済する、その資金は森永が負担する、国は救済について行政的に協力する、といったことを主な内容としていました。その確認にしたがい、救済委員会が財団法人として発足し、七四年四月二五日にそのための「ひかり協会」が設立されました。

しかし一方で、裁判で示した森永・国の態度と、三者会談で示している態度とがあまりに食い違っており、私たちは七四年五月に、大阪地方裁判所でこれらの態度の矛盾の釈明を求めました。森永は、あらためて加害責任を認め、「ひかり協会」の決定にしたがい救済を進め、費用も無制限で負担することを明らかにしました。同時に全被害者の救済として、未確認者や死亡者の相続人も含めて、原告全員を救済の対象とすることを認めました。さらに、岡山・高松各裁判でも同様であると認めました。

このような経緯を踏まえて、同年五月一二日に訴えの取り下げによる訴訟の終結と、不買（売）運動の中止が決定されました。一見すると原告が負けたという取り下げの形をとっていますが、結果的にはほぼその目的を達成したといえるでしょう。

裁判が果たした役割

森永裁判は、被害者救済という点で、どのような役割を果たしたのでしょうか。

その第一点は不買（売）運動とならんで、「ひかり協会」を発足させる原動力になったこと。そして第二点として、その後の救済活動の基本となることを決めたこと。三番目の役割は、むしろ協力してくださった医療関係者の力によって果たされました。先ほど述べたように、一つ一つの因果関係を問うていくと大変なことになります。これを医療陣の教えにしたがって、すべてを統括することによって「森永ヒ素ミルク中毒症候群」として把握でき、裁判の中で展開していったのです。これが基礎となって救済が行われるようになったのは、森永裁判が果たした大きな役割だったと思っています。

この中で、私たちが教えられたのは、専門家と「守る会」・被害者との協力が何より重要だったということでした。弁護士がどんなに頑張ってもだめでしたし、被害者だけでもだめでした。専門家の協力がどれほどに必要なものであるか、私たちが心に刻み込んだ裁判だったのです。

「ひかり協会方式」という解決へ

私たちは、森永裁判において、これまで述べてきた経緯からおわかりのように、民事訴訟を起こした→裁判を提起した→判決を得た→そして救済が得られた――というような形態はとりませんでした。そうではなく、裁判を提起したものの、救済の核となる「ひかり協会」の設立をみて、その「ひかり協会」の判断・決定にしたがって森永は必要な費用を払う、という契約を交わしたのです。いわば判決に代わって「ひかり協会」と、さらにこれを裏づける「守る会」・森永・国との確認書や、これは法律的なことですが、「ひかり協会」自身が森永との間で収支予算書に見合う資金を森永が負担するという契約書――これらが救済の基礎となって救済体制が出来上がったわけです。

つまり、個人の個別的な直接の裁判による救済を放棄して「ひかり協会」で、それも被害者が主体的に運営するという形の中で、しかも、森永・国との契約関係に立つことにおいて救済を実現しようとしたのがその後の救済体制です。森永裁判はその基礎を作ったということになるわけです。

この「ひかり協会方式」は極めて画期的なことだと私たちは考えています。ある意味で前人未到のことといえます。その後、いろいろな公害裁判が提起されていますが、このような形で救済活動が行われているところはほとんどありません。森永だけの特徴だったのかもしれません。

集団の運動論の中での森永裁判の特徴は、裁判という形式は使っていても、実態は違っていたということでした。ある意味においては、裁判の無力化や裁判のもつ弱点をなんとか克服しなければならないという困難性をもっていたのですが、これをそっくりそのまま「ひかり協会」に移し入れていったのです。したがって、森永裁判を前人未到というならば、その後の

「ひかり協会」を中心とする救済活動もまた、前人未到であったと考えています。

この裁判の中で、私は多くのことを学びました。

「一人はみんなのために、みんなは一人のために」

これが、すべての組織の運営方針でなければならないと、私は今でも強く思っています。

ケース・6　一九八二年

小説のモデル名誉毀損事件

◆事件の概要

被告の作家・三田貞子（仮名）は小説『A……』の著者であり、被告出版社はこの作品を出版、販売している。この小説は、ある夫婦を主人公として、その結婚生活歴を描いたものである。その第四章には、女学校に勤務する「梅田みつ」が同僚教師である主人公の夫を排斥する運動を行い、かつ、彼を陥れるために早朝にガラスを窃取しようとしたが、主人公に発見され逃走した旨の記述がある。

原告杉田ふみ（仮名）は、この小説は被告・三田貞子や彼女の夫の体験をもとにしており、その第四章は実際の「ガラス事件」をモデルに三田貞子の創作を加えたものであり、小説中の「梅田みつ」は原告をモデルにしたものであると主張。「杉田ふみ」の「杉」を「梅」に、「ふみ」を「みつ」に変えており、作中の名前から実名が連想されるとした。

そのうえで、小説の第四章の記述によって名誉を毀損されたと主張した。そして、杉田ふみは作家三田貞子の小説『A……』について、裁判を起こし、次のような請求をした。

一、被告、三田貞子と出版社は、原告である杉田ふみに対し、各自、五五〇万円及び一九八二年四月一日から支払い済までの年五分の金員を支払え。

二、『A……』第四章のうち七六ページないし九一ページを削除しない限り、これを出版、販売してはならない。

三、被告らは原告に対して、朝日新聞東京本社版、大阪本社版の各朝刊社会面に謝罪文を掲載しなければならない。

これに対し、私は三田貞子の弁護人として、次のような反論をした。本件小説が自叙伝的小説と見られ、三田貞子の経験した事実をもとにした部分があることは認めるが、小説全体のフィクション化は充分になされている。第四章についても、人名・設定等につき杉田ふみとなんらの類似性がない。また、実際にはガラスを窃取しようとしたところを三田貞子に発見されて逃走したという事実もなく、「事件」が三十数年も前であることからも、梅田みつから杉田ふみを連想することはない。本件執筆の動機は、子供に対し、物事を善意の目で見て善意に解釈し感謝することが自己の幸せにつながることを教えるためであり、また、杉田ふみの夫は「ガラス事件」の後、教育長・文部省社会教育官を歴任したことからも汚名をすすぐ必要はなかった。

裁判所は、本章は、架空の高等女学校を舞台にし、作者の創作を加えて小説化したものであり、梅田みつと杉田ふみとの間には、「ガラス事件」の起きた高女出身の職員で、同窓会の仕事をしているという類似点があるだけで、両者は名前はもちろん多くの点で相違しており、梅田みつは杉田ふみをモデルにしたものではないというべきであるとして、八三年九月二八日に杉田ふみの請求を棄却する旨の判決を言い渡した。

◆教訓と思い出

面白い事件ではありました。私は作者の方の弁護を引き受けたわけですが、この事件で私が意識したのは単に勝つだけではなく、どうやって短期間に裁判を終わらせるかということでした。この種の事件は、たいてい裁判をやれば三年、四年とかかるものなのです。そうすると、その間ずっと作者が傷つくことになる。それは避けなければいけないと考えました。

相手方はいつも大勢傍聴にやって来て、そのたびに報告集会なんていうのを開かれる。市民運動みたいな形でやっているわけです。原告の杉田さんが、学校の名誉を傷つけたというようなことを言って大勢引き連れてくるんですよ。そして、地元紙がそれをまた取り上げる。いわゆる「世論工作」をやっているのです。著者も地元にいた人ですから、これはかなりのダメージになるわけです。裁判そのものが圧力になっていたということです。出版社の弁護士の方と一緒に、電車に乗って何度か現地へ行きました。最初に会った時その人が「中坊さん、これは長くなりそうですね」と言うから、「いやいや早く終わらせましょう。おたくは東京の弁護士さんで偉いのかもしれませんが、私には私のやり方があるから、まあ黙って聞いててください」とお答えしたのを覚えています。

この裁判の特徴は、証人への尋問については本人尋問以外はやっていないということです。私は、訴訟進行に関してこの事件の特殊性を裁判所に訴え、尋問はかくあるべきだということを主張しました。つまり、相手方は女学校の彼を呼ぶとか誰を呼ぶとか、証人を一〇人ぐらい申請してきましたが、一切調べる必要はないと言ったのです。あの小説は作者自身の経験が基になっている部分もあるけれどフィクションとして書いている。名前もまったく違うものだし同一性もないのに、名誉毀損というのは当たらない。だから、こんなことで著者がやられるということ、しかも圧力のもとに裁判が進行するということになっていくと、そのこと自体が一種の暴力みたいなものだ、と言ったのです。傍らで聞いていた出版社の弁護士が「中坊さん、あなた裁判所によくそんなこと言いますね」とびっくりしてましたけどね。結局、この事件は証人を一人調べただけで結審したわけです。ただ単に漫然と原告が申請しているからといって、証人をどんどん調べていたとしたら何年かかるかわかりませんでした。だから裁判の迅速化を促進しようというのなら、迅速化は何も裁判所が扱う事件数や裁判官の腕だけで決まるわけではないのです。当事者の代理人がそもそも事件をどのように考え、どのように進行させ、どのように終結させるのかということについて、今のように裁判所任せであってはならないと思います。

結局、相手方は控訴してきませんでした。完敗を認めたということです。目標としたとおり、一年という短期間で結審しました。私が弁護をしていたから相手方が控訴を断念したのかどうか、それはわかりませんが、はっきりと言えることは「弁護は迫力をもってないとだめ」ということです。あいつがついていては勝てるめどがないと相手方に思わせないと。

今度の司法制度改革でもそう思うのですが、日本の弁護士というのはなんでも裁判所任せなんです。訴状だけ出して後は裁判所がやってくれると。こういう人任せの弁護士が多いわけです。だから裁判所が悪いとかどうとか非難する前に、弁護士自身がこの事件はかくあってかくあるべしという事件処理を、自主的に判断して裁判に臨むべきです。私は、この点においても終始一貫事件の中で闘い続けてきました。裁判所に対して遠慮なく、これはこうあるべきだということを主張してきました。裁判所の言うことはなんでも聞きますということが好ましい世の中にあって、私のこれまでの弁護士のやり方というのは、常に意見をもって、事件の処理についてそれなりの見解をもってやっているということです。

弁護士の責任

もちろん、裁判所は弁護士からいろいろ言われることを好みません。むしろ、裁判所任せの弁護士を好んでいる。「愛《う》いやつ」ということになるわけですね。裁判所に媚びている弁護士が大半ですよ。でも、それをやっているから弁護士は市民から愛想をつかされるのです。自分は勉強しないで裁判所のご機嫌取りに終始している。そういった弁護士が多い。そういうふうに裁判所を甘やかすから、裁判官の中にとんでもない世間知らずがいたりする。だから悪い裁判官を作っている責任の一端は弁護士にもある。私はそう思っています。

たいていの場合、弁護士は怠けながら安易にやっています。これは言ってみれば「お大師さんの前の土産物屋」で、お大師さんのところに来る参拝客が頼りなんですね。お大師さんの威光で商売が成り立っている。つまり、裁判所というお大師さんがいなかったら弁護士自身は成り立たないわけです。だから私は、自分で行商に行って物を売ってくるような強い弁護士に育たないとだめだと言ってるのです。いわんや試験だけ受かって法廷で弁論をやっているなんていうのはヒヨコもいいところで、そういうのはとんでもない話だと私は思っています。そして、自分の不勉強さをみんな裁判所のせいにしている節がある。そのくせ依頼者には威張ってるのですよね。裁判所には頭を下げるけど依頼者に対してはそっくり返る。

こういう弁護士は皆、お大師さんのご威光で威張っているのですよ。市民から遠ざかっている方がいい。みんなが怖がるから。裁判所は怖いところだと。それによって自分の専門性を維持しようとしている。それは逆で、もっと裁判所を市民の側へもってこないといけない。引きずり下ろさないといけないものを逆に奉ってしまっている。これこそが問題なのです。

まず弁護士に言いたいのは「己を知れ」ということですよ。お前のみすぼらしい姿をまず直視せよと。で、それにあった仕事をしなさいということです。人間は万能ではない。例えば、私にも弱点があって「男女の揉め事」なんていう仕事は受けません。ところが、弱点もわきまえず思い上がりや欲望ばかりが先に立つ弁護士が多い。研鑽や努力はしないで弁護士をやっていて、そのくせ「弁護士自治」だとか好き勝手言ってる始末です。現場を直視する厳しさが足りない。自分自身を直視する仕方が足りない。まるでサロンに入ってふぬけた感じ。弁護士はもっと謙虚であって、日夜の勉強を怠ってはなりません。本当の意味での強い弁護士を生み育てていくためにも、今、手がけている「司法制度改革」を進めたいと考えています。

ケース・7　一九八二年

自転車空気入れの欠陥による失明事件

◆事件の概要

鈴木清美（仮名）は、一九八〇年八月ころ、大阪府下のW電気で、T総業製造の自転車用空気入れを購入した。八二年六月一〇日、娘の鈴木裕子（四歳・仮名）は、彼女の伯父が鈴木家の裏庭で自転車前輪部の故障を修理しているのを横で見ていた。伯父が修理を終えたのち、前輪に（鈴木清美が購入したあの空気入れで）空気を入れていると、裕子が自分も一緒に入れると言いだした。伯父は横で見ているようにと言ったが、後輪に空気を入れようとしたところ、再び裕子が「一緒に入れたい」と言ってきたので、転倒防止ペダルを踏んでいる自分の左足のさらに左側に裕子を立たせて、空気入れのハンドル中央部分に裕子が手を添えるような格好で両手で握らせ、伯父がその外側を両手でしっかりと握る形で後輪に空気を入れることにした。その際、ハンドルを押し下げた状態と原告の顔面との距離は約一〇センチメートルだった。

伯父は、ハンドルの上下を小刻みに数回繰り返し、ハンドルを一気に押し下げようとして力を入れたところ、ハンドルが突然本体の鉄心棒から外れたため、伯父は外れたハンドルを持ったまま前につんのめった。このため、裕子も彼に押されて前にのめったが、その際、前記鉄心棒が上方へ飛び上がり、裕子の左目に刺さり失明するに至った。

裕子の弁護のため、私を含む一二人の弁護団が結成され、T総業社長、及びW電気を相手取り総額四〇三一万六七〇三円の損害賠償請求を起こした。五年後の八七年八月七日に和解が成立。W電気とT総業とが連帯して五〇〇〇万円、W電気が別途見舞金を支払うこととなった。

弁護団が状況を説明するために作成し法廷に提出したイラスト

◆教訓と思い出

欠陥商品への怒り

七七年に、全国の弁護士会に先駆けて大阪弁護士会で「消費者保護委員会」というものが組織され、私は初代の委員長になりました。「森永ヒ素ミルク中毒事件」での経験を踏まえてやろうとしたのですが、なかなか難しくて一年目は試行錯誤の繰り返しでした。現場主義の私としては法律論ばかり闘わせ、委員会がサロン化してしまうことを恐れました。それは、結果的には消費者との間の対話をなくしてとんでもないことになると思えたからです。まずもって依頼者に対してはその場で、焦点はここにあるのですよと示すことが大切。大阪府下の消費者センターの方に来てもらい、質問されたことにその場で答えるという運動を起こしました。さらに、公共料金問題を取り上げようということで、私鉄運賃の値上げであるとか関西電力、大阪ガスの値上げの問題にも取り組み、公聴会にも出ていくなどして消費者委員会はかくあるべしという実践活動をしていました。当時は「和製ラルフ・ネーダー」(注・ラルフ・ネーダー＝アメリカの消費者運動家。一九六四年に自動車の安全性について企業を告発し、成功を収める。これが新しい形の消費者運動として発展した）なんて言われてましたね。

われわれ弁護士というのは、法律相談だけやって答えて、答えたのだからそれでいいじゃないかという人が割と多いのです。単なる相談にとどまらず、時には任意でやろうというところまでやるのが弁護士としての仕事だし、そこまでしてこそ初めて弁護士の目的は達成されると私は考えています。それで、面倒を見るのだったら徹底して見る。相談で終わらないでやってあげるということを提唱したわけです。ただし、弁護士会としては個々の事件を受けられないから、個人で集団を作ってやるということです。われわれとしては、市民全体のためにまさに街のお医者さんのようにならないといけない。単に顧問になっている会社の事案だけをやるというのではなく、街へ出かけて行って、いわゆる市民事件を手がけるべきであり、そのための弁護士会でもあると思うわけです。

弁護士会というものはいかにあるべきか。単に弁護士の寄り集まりというのではなく、弁護士会というもの自体が社会に一定のインパクトをもっている団体だし、強制加入団体なのだから、個々の弁護士だけでは力不足でできないことは弁護士会が担おうと。とはいえ、弁護士会が相談を受けたからといって、一方にだけ味方するということはしてはならない。だけど任意の団体を作って弁護士が個人的にやるということなら問題はない。弁護士会というものが形だけのおざなりの返事をしたり、おざなりのことをやったりしないで、実質的なことをやろう。それで行き過ぎだという評価を受けたとしてもやむを得ない。私は、国民に対して弁護士会というものがそこまでの親切心を出すべきだということを提唱して実践したわけです。

そして大阪弁護士会会長になった八四年の翌年四月に消費者委員会を作りました。弁護士会の活動の中に消費者運動へのかかわりを入れなければならないと考えたのです。そして、これまた試行錯誤を重ねている最中に、大阪府下の消費者生活センターの方から「自転車の空気入れ事故による失明事件」が起きていると聞かされました。それで、被害を受けた子供さんにも会わせてもらったのですが、単に相談に応じているだけではなく、この事件はまさに弁護士が手がける必要があるのではないかと考え、この事件を引き受けることにしました。しかしながら、空気入れの欠陥についての科学調査が必要であったり、一人の弁護士だけではなかなか難しい。そこで、他の弁護士にも一緒にやってほしいと呼びかけたわけです。いくつかの班を作って任務を分担し、私は平野鷹子弁護士と共に「欠陥調査班」に入りました。

七月二六日、その平野さんと一緒に、空気入れ持参で、相模原市の国民生活センターの商品テスト部を訪ね、相談センターからの依頼ということにして調査をお願いしました。調査・鑑定というものはいつもお金がかかり、それがネックになって行き詰まってしまうことが多いのです。どうやって被害者の費用負担を最小限に抑え、かつ正しい調査・鑑定結果を得られるのかということを見出す。そういうことも弁護士の仕事の中に入ってくるんですね。実は、国民生活センターを使えば無料だったのです。民間のところに依頼すればおそらく数十万円以上の費用がかかったでしょうね。調査回答は翌年の六月七日に出て、欠陥が確認されました。この事件も契機となって、JIS規格に新たにハンドルの強度・抜け止め防止等の項目が設けられるなど、実際には危険な「欠陥商品」であったわけです。

楽しかった温泉旅行

この事件で難しかったのは、依頼者に裁判を起こすということを説得することでした。子供がひどい目に遭った鈴木さんは、最初は製造者などに対して責任を追及したいと言ってたのに、いざ裁判を起こす段になると、子供のことで裁判なんか起こしたくないと嫌がられたのです。実は、この事件ではすぐに裁判を起こしていないのです。裁判を起こす前に相手方へ何度も足を運び「幼い女の子がこんなひどい目に遭ってるのだからなんとかしてあげてほしい」と和解をもちかけるわけです。今のように「製造物責任法」（PL法）なんてない時代のことでしょう。向こうはまったく相手にしてくれず、けんもほろろの対応でした。そうすると、示談で解決しようと考えていた依頼人は「こうなったら裁判にもち込んでも」という気になるのではなく「もうよろしいわ」となってしまう。それが普通の市民の感情なんです。だから、この事件は裁判を起こすことに乗り気ではなかった依頼人に対して弁護士の方から勧めたというのが実際のところでした。私たちとしては、欠陥商品を売りっ放しでケガしようが何しようがそれはお前らの勝手やということがまかりとおって、被害者が我慢を強いられるなんてことは良くないと思うわけです。だから弁護をしたかった。それだけに、着手金なんて受け取っていないし、お礼がもらえるなんてことも思っていませんでした。

結局、裁判がうまくいったということもあり、依頼人はとても喜んでくれて、どうしても礼金を受け取ってほしいということになりました。感謝の意の「お布施」というものをもらったありがたみ。嬉しかったですね。だいたい、ボランティアみたいな事件を手がけると、持ち出しばかりでお金が入るなんてことはまずないのですよ。ところが、まったく期待していなかった謝礼を頂戴した。事件を担当した一〇人ほどの弁護士で相談した結果、そのお金を使ってみんなで旅行しようということになり、大阪から九州別府行きの船に乗り、船で一泊、別府で一泊の旅を楽しみました。弁護士生活四〇年間で、まあこれぐらい楽しくてゆっくりした気分の旅行はなかったですね。

ケース・8　一九八三年

実刑服役者の新聞社に対する謝罪広告請求控訴事件

◆事件の概要

X新聞は、一九七九年六月二六日、次のような記事を掲載した。

「内職に覚せい剤密売」

「主婦らにさばく」

「保険金詐欺のUら」

A県警保安課とC署は二十五日、四億円にのぼる保険金詐欺事件の主犯、同県のU(六二=詐欺容疑で逮捕ずみ)の経営するT産業の専務、K(五三)を覚せい剤取締法違反の疑いで逮捕したが、T産業は贈答品販売の看板を掲げながら、実は覚せい剤の大がかりな密売組織であることを突き止めた。U、Kらが仕入れた覚せい剤は計八キロ、末端価格で二四億円にのぼっている。(以下略)

Uは、八三年一月ころ、この記事を知り、同年三月八日、右記事により自己の名誉が毀損されたとして、X新聞社に対し、慰謝料一五〇万円を請求するとともに、謝罪広告を求めた。

第一審裁判所は、本件記事を「原告が右T産業を一〇キログラム単位の覚せい剤を取り扱う大がかりな密売組織に仕立て上げ、覚せい剤を広く県下の一般市民にまで蔓延させた中心人物である」との認識ないし印象を一般読者に与える内容のものであると認定。そして、Uらが八グラムの覚せい剤の取引に関与していたことは認められるが、それ以上の証拠はなく、新聞記事が真実であるとの証明がなされたとは言えないし、また、右記事は捜査機関から入手した捜査メモに基づいているが、捜査機関が強制捜査をしても立件できなかったことを知っていながら「一〇キログラム」(注・関連記事の記述)としたことについては、X新聞社に過失がなかったとはいえないとして、八六年三月一二日、慰謝料三〇万円の支払いを認める判決を下した。

同年三月二〇日に、X新聞社は判決を不服として控訴したが、その後に、同社顧問の弁護士が亡くなり、私がこの事件を引き継ぐこととなった。私は、本件記事が一般読者に与える印象は、「保険金目当てに二度までも殺人及び自殺教唆を企てたUが、右保険金目当ての各事件とほぼ時を同じくして、覚せい剤の取引という犯罪をも行っていた」というものであることを主張した。そして、Uらが別件で一キログラムの取引に関与したことを供述していることから、本件記事の主要な部分が真実であることが認められる。仮に真実でなかったとしても、捜査担当官に裏づけ取材をしているし、入手した捜査メモに基づいて記事を作成したのであり、Uらが拘留中で捜査機関以上の真相探知はできないことから、過失はなかったと主張した。

裁判所は私の主張をほぼ認め、八六年一一月一四日、原判決を取り消し、請求棄却の逆転判決を下した。なお、Uは最高裁に上告したが、八七年九月四日、上告は棄却されている。

◆教訓と思い出

保険金詐欺事件

本件で問題になったのは覚せい剤取締法違反に関する新聞記事ですが、この記事が出る前にUの保険金目的の殺人未遂、自殺教唆未遂についての記事が出ています。その内容を少し紹介しておきます。

彼は、A県B市で贈答品販売会社T産業を経営していたのですが、自分が金を貸していたある知人に対して、無断で一億二〇〇〇万円の生命保険をかけていたのです。そしてUは、二人の仲間と共謀してこの知人の殺害を計画します。七八年四月七日、仲間は知人を誘い出して道路上で待ち伏せし、運転していた普通乗用車を知人が運転していた軽トラックに衝突させ斜面に転落させたのですが、軽トラックは斜面途中の雑木に引っ掛かり、知人は危うく難を逃れました。さらに、その知人が運転席を抜け出し道路に這い上がってきたところを目がけて、仲間は乗用車を発進し衝突させようとしたのですが、その知人は道路標識の陰に隠れて再び難を逃れたのです。Uはこの事件の首謀者だったのです。

またUは、T産業の常務取締役のNを被保険者とし、T産業を受取人としていた「災害死亡保険金五五〇〇万円」の生命保険金の入手を目的として交通事故を偽装しました。Uに約三〇〇万円の借金があったNの弱みにつけ込み、Nに自殺を決行させることを企てたのです。七八年六月一四日、「会社であんたに掛けている五五〇〇万円の保険金が入れば、自分が半分もらい、残りで借金を払ってやる。奥さんの手元には五〇〇〇万円か六〇〇〇万円以上もの金は残るから後のことは心配いらない」などと言って執拗に自殺を教唆し、Nに自殺を決意させました。その結果、Nはこの日の午後七時三〇分ころ、A県の農道から自分が運転するライトバンもろとも一〇〇メートル下の谷に転落します。しかし、重傷を負ったものの自殺を遂げるには至りませんでした。それでも、この「事故」で、Uは保険会社から一二〇〇万円の入院給付金を受け取ったのです。この後、Nは同年一一月に何者かに襲われ頭部陥没の重傷を負い、さらに入院加療中に自宅が放火されるという不審な事件が相次ぎました。

このころ、覚せい剤密売経路の内偵を始めていたA県の警察当局は、Nを中間卸元の一人と見ていました。そのNが襲撃されたり、自宅を焼かれたりしたことによって、警察は捜査を強化します。県警当局はNとUを有価証券偽造、詐欺の疑いで逮捕し、取り調べを進めました。その結果、自殺を強要した事件が判明し、七九年六月、Uを自殺教唆未遂及び詐欺罪で起訴しました。そして、覚せい剤密売組織の解明を急いだ結果、T産業が贈答品販売をしながら実は覚せい剤の密売組織となっていた事実やその入手経路も突き止めて関係者を逮捕したのです。そして、例のX新聞社の報道記事が出るわけですね。

人間にとって名誉とは何か

この事件は、名誉毀損ということに基づく不法行為の損害賠償ですから、その名誉というのは一体なんなのかということをまず考えてみました。判例で名誉とはどういうことをいっておるかということですが、それは「人の品性、徳行、名誉、信用などの人格的価値について社会から受ける客観的な評価である」ということです。名誉、名誉というと、何か主観的な名誉感情と誤解しやすいのですが、そうではなしに、社会から受ける客観的な評価なんだということが、やはり一番基礎になるのではないかと思います。

先ほど言いました徳行、名誉、品性などの中の信用だけは、刑法上二三三条の信用毀損罪ということになって、別に書かれているわけですが、民事上はその信用も含めて全部が名誉という概念でくくられています。これは主観的なものではなしに、客観的な評価ですから、主観的な名誉感情をもつかもたないかは別です。例えば、赤ちゃんであるとか、物がわからないような病人であっても死者であっても、あるいは法人であっても当然に、そういう意味においての名誉というものが存在するということになるわけです。もちろん、どのような場合でも、誰に対しても名誉が問題になりますし、犯罪報道の場合であっても、容疑者のみならず、被害者の方についてもそういう点の配慮をしなければならない。現に、三角関係のもつれの記事で被害者の方から訴えられ、新聞社が敗訴しているケースもあります。

このような定義の上に立ちまして、この名誉というものの、憲法に基づいて保証されている条文上の根拠は一体どこにあるのかというと、これは憲法一三条にあるわけで、別に名誉と書いてあるわけじゃないですけれども「すべて国民は、個人として尊重される。生命、自由及び幸福追求に対する国民の権利については、公共の福祉に反しない限り、立法その他の国政の上で、最大の尊重を必要とする」という条文がこの名誉を保証している基本的な条文になるというわけです。「幸福追求権」の中に、この名誉も含まれているというふうに考えられると思います。

「プライバシー」と「名誉」の違い

これは、プライバシーと非常に似通っていますが、やはり区別があります。プライバシーも人格権の一つであるという意味では同じですが、プライバシーというのは、端的に言うと、私生活をみだりに公開されない権利だということです。もっとも、プライバシーの問題に関しましては、まだ名誉ほどには精査されてなくて、むしろ、どういう場合に権利侵害になるのか、侵される方の利益と、侵した方の利益均衡といったようなものを基準にして考えられています。

新聞報道に基づいて名誉毀損があった時に、それについて抗議するとか損害賠償を請求するのが普通であるのかといえば、わが国では、そうはしないのが普通のように思うのです。なぜか。裁判を起こすことが大変だろうという以外に、やはり新聞社の壁でしょう。やってもたぶん無理だろうというようなこと、あるいは報復を恐れるとか、こういうことが作用して泣き寝入りする現象が、むしろ普通になっているというふうに言えるのではないかと思うのです。

ところが、正直に言いまして、私たちのような関係のない者が見ておりますと、報道者がそういう名誉を毀損しておっても、むしろ訴え出ないのが普通なんだというようなことを前提としており、そこには報道機関のおごりというものがあるのではなかろうか。本当に書かれる者の立場というものは、その立場になってみないとわからないのだということを私自身も痛感することがあるわけです。

この事件で、裁判所が、非常に面白いというか一つの判断を示したわけです。それは、U自身がこれだけ多くの罪を犯しているんだから、もう社会的な評価が相当程度に低下しておるんだから、不法行為は一応は名誉毀損とは判断されるだろうけれども、それが、いわゆる違法行為、不法行為とされるかどうかの判断の時には、これもまた判断の資料になるんだということを言ってるのです。参考までに少し紹介します。

「一般に、不法行為上、名誉毀損とは、人の品性、徳行、信用などについての社会的評価を下落されることをいうのであって、単にそのものの主観的名誉感情を害したということで足りないと解すべきところ、被控訴人（U）は本件記事が報道された当時、後記認定のとおりB市内で贈答品販売会社を経営していたものの、実は冷酷非道な方法による有価証券偽造、同行使、詐欺、自殺教唆未遂、殺人未遂の各罪を次々と犯していたもので、この犯罪事実については、控訴会社（X新聞社）も別紙①（略）記載のとおり、本件記事の報道される直前である同年五月一〇日から六月二五日までの、実に一〇回にわたり、社会の人目を引く重罪犯罪として詳細に要部真実の報道をしており、もとより他の大新聞社もほぼ同様の報道をしていたことが認められ、これらの事実によると、被控訴人の本件記事掲載当時における名誉、すなわち社会的評価は、すでに相当の程度において客観的に低いものであったといわなければならない。果たしてこのような犯罪者が、更に別個の犯罪の被疑者として報道されたからといって、いかなる意味及び程度において名誉を毀損されたか疑問なしとしないところであるが、右の点は控訴会社の本件報道行為の実質的違法性の程度ないし違法性阻却事由の存否について検討すべき諸般の事情のひとつとして考慮するのは格別、これを名誉毀損の成立自体を否定する事由とするのは、なお困難であると考えられる」

こう言ってるわけですね。

要するに、別個の犯罪がある。これだけ悪いことをしているのであれば、さらに、それにちょっとつけ加えたからといってどれだけ名誉が毀損されたというんだと。まさに一種の庶民感覚だと思うんです。だからといって、犯罪者にも名誉があるというのはもちろん通説でありますが、身体とか生命と同じように、人間であればみんな平等に保護されると、そういう意味での、もともと生命と違って少し程度に差があるということを裁判所はここで言っている。この判決はこのとおりでありまして、最後に「そして本件においては以上のほか、被控訴人が本件記事掲載当時すでに前示のような異常かつ冷酷な罪を犯した者であることについて、公知に等しい状況であったため、その名誉ないし社会的評価自体、格別に下落していたものと解されること、および控訴会社の本件記事による報道行為の違法性ないしその阻却事由の存否については、右のような被害法益（本件では被控訴人の名誉）の性質内容等をも考慮してこれを決すべきである」と述べています。これは違法性阻却事由となると。だから名誉といったって名誉の中にはいろいろ内容があるぞと、それも総合的に不法行為になるかならないのかの時には、もう一度これを解釈しなさい、という判決なわけです。

もちろん、このことに関しましては、他の新聞は書いてなかったんですが、東京のある新聞はこれを非常に大きく「犯罪者の名誉は軽い　受刑者の訴え逆転敗訴」というような三段抜きの見出しで記事にしていました。横浜国立大学の教授がこれにコメントをして「米国では、こういうことが出始めておるけれども、被害者の、犯罪者の更生ということを考えれば反対の意見もあるんだ」ということを言っています。同時に、これが国内においての最初の判断であろうというようなことも言ってるわけです。

しかし、いずれにしても私としては、先ほども言いましたように、この名誉毀損をめぐる問題というのが非常に新しい分野であって、しかも流動的であるというのは、今頃になってこんなことが国内で出た初めての判決だというあたりも、私たちは参考にすべきことではなかろうかと思うわけです。

「報道の自由」ということ

さて、私としては、この事件を担当しながら、人の名誉を侵してまで報道の自由はなぜ守らなければならないのか、その理屈がどこにあるのか、などということを考えました。最高裁は四四年、六一年のいずれの事件でも、そのことの考え方を明確にしています。いわんとするのは、民主制国家のもとにおいては、主権が国民にある、お互いにそれは情報を相互に受領することができて、その上で多数意見が形成されて、そして国政が決定されるんだ、そういう意味で、この報道の自由は保障されなければならない。憲法二一条一項の規定はこの趣旨だと、こう判決に書いてあるわけであります。私も、なるほどな、こういうふうに説明するのかということは理解したわけですが、なんとなく理屈でもって回ったような感じがして、迫力というものが感じられなかったわけです。

一体なんでだろうということを疑問に思っていたところ、たまたま、「法学セミナー」の

「マスメディアの現在」という文章の中で、新井直之さんという創価大学の教授がＨ・Ｄ・ラスウェル（哲学者）という人の『社会におけるコミュニケーションの構造と機能』という中に書かれてある「歩哨《ほしょう》理論」を取り上げているのを見つけました。どういうことが書かれてあるかといいますと「動物社会では成員のあるものが歩哨として活躍し、回遊する群れから離れた場所にいて、周囲の環境の中に警戒すべき変化が発生すると、ただちにけたたましい叫び声を上げる。この歩哨の叫び声、泣き声、金切り声などによって、回遊してきた群れは、その変化に対処するために迅速な行動をとる。その歩哨の役割だというのである」とあるのです。

なんとなく、なるほどなと。やはり人間社会、動物社会では、誰かが成員の安全を護るために歩哨の役割をせねばならないのか。それが泣いたり、叫び声などを上げたりすることによって社会が安全に歩いていけるんだ。だから歩哨というものは、これがなければ絶対に危険だし、歩哨というものは、その場でみんなのために声を上げなければならない。これはなるほど、私も裁判所の判決を読んでいるよりも、もっともだなというふうに考えました。本当にそういう意味でこそ、民衆のみんなに、平等に奉仕しなければならないという意味も、私なりに理解できたわけです。

記者の方を見ていると、なんとなく一種の特権意識をおもちじゃないかというふうに思えるわけです。記者クラブというものがどこにでもあります。これは必要不可欠だからあるんでしょうが、結果的にそれは情報に接近する立場にある。判決の中で相当性、いわゆる真実の証明ができない時に、それが真実だと信じたことについて相当の理由がある。この時に実際の今の判決は、警察の公表ということを一つの基準においているわけです。確かに現在の判決はその通りでやられている。だから公表なくして取材したものは、なかなか真実の証明が難しくて、だめだったらたぶん全部だめと。警察を信頼すれば大丈夫、相当性と判断してもらえる。私は、この公表というような問題についての現在の判例のものの考え方についても、本当に新聞社としてはこれでいいのかということを、真剣に考え直さなければいけないんではないかと思うわけです。

記者クラブへ行って絶えずやっているから、その公表という制度になっていることを前提として判決は一つの基準を出してくる。こういうことでいいんだろうか、警察の公表によって相当性の理由の基準になるというようなことでかまわないのか。私は、新聞社といえども、こういう問題について基本的に考え、正面から取り組んでいかなければならないのではないかと考えています。加えて、歩哨には迅速性も求められるわけですが、いわゆるケアレスミスみたいなものは早めに直すという姿勢が大事です。

このUに対する判決の地裁の原審判決における問題点は、主要部分の認定と一キログラムの否定です。一連の記事の中で、八キロとか二〇キロという言葉が出ておりますけれども、いわゆる一キロぐらいは証明できるという状況にあったわけですが、それも全部否定したというところが、この原判決の問題点ではなかろうかと思うのです。

「本件記事は一般読者に対し、原告（U）が右T産業を一〇キログラム単位の覚せい剤を取り扱う大がかりな密売組織に仕立て上げ、覚せい剤を広く県下の一般市民にまで蔓延させた中心人物であることの認識ないし印象を与えたものと認めるのが相当である」

原審の地裁は、これらの新聞記事の中でどういうことが書かれているかといえば、Uは一〇キログラム単位の覚せい剤を取り扱う大がかりな密売組織の中心人物で、一般市民にまで覚せい剤を蔓延させた、との印象を与えたと、原判決は認定しているわけです。

そして同時に、この一キログラムの分に関しましても「以上の認定によれば原告らと覚せい剤とのかかわりについては、Kが八グラムの覚せい剤を譲渡したこと、原告を含むT産業の関係者が、右覚せい剤の譲渡に関与していたということは真実であると認められるが、これを超えて原告がどの程度の量の覚せい剤を取り扱うかについては、先に認定したK及び原告の自供は存するものの、自供自体ではどちらが主犯格かわからないということから、その取扱量が一キログラムという大量のものであったのであれば、公訴の提起に至るものであるにかかわらず、原告についてはもちろん、K、Oについても現在にいたるまで公訴がなされていないことと考え合わせれば、原告が取り扱った覚せい剤の量は、これは証拠上八グラム以上に認められることはできない」ということを二つの骨子にいたしまして、ここは大体一〇キログラム以上の覚せい剤を扱ってると。ところが事実が証明できたのはわずか八グラムだと。そうすると、その間に大きな差があるじゃないかということで、一審ではX新聞社側を負かしているわけです。

「一般人」という概念

ここで問題になるのは、それではこの主要部分という論理は一体どういうことなのかということです。U事件において覚せい剤の取扱量は主要部分であるのか、私はこの問題についてここから取り組んでいったわけです。

記事を読んだ人がどんな印象をもつのかというのが争点の一つになるわけですが、実は、一緒に担当したうちの事務所の弁護士が、「一般の人」がこの記事を見てどういう印象をもつかについて準備書面の中で書いていました。私は草稿の段階でそれを読んで彼を叱ったのです。一般の人ならこう思うとかどう思うとか気楽に書くな。一般の人とは誰なんだ。おまえはこの事案に精通しているわけで、決して一般の人じゃないぞ。おまえの頭の中だけで考えて適当なことを書いてはだめ。事案に精通していない人の印象がどんなものであるのかを知ることが必要なんだ。嫁はんとかうちの事務所の女性たちにあの新聞記事を読んでもらって、どんな印象をもったか書いてもらえ。それに基づいてものは書け、そういう調査というものをしたうえで準備書面に書け、あるいは裁判所で言え。そうしてこそ初めて現場主義の迫力が出る。そんなふうに説教したのです。

そして、その弁護士の奥さんと、うちの事務所の事務員さん六名、計七名にこの記事を読ませたのです。まず一つだけの記事を読ませて、その次に前の記事からも読ませまして、そこでアンケートをとったわけです。それから、覚せい剤についてどの程度の知識をもっているのかということについても、自由に書いてみてくれと。それで何が頭に残ったかということをやらせたわけです。すると、誰もがこの八グラム、二〇キロというのは残らずに、ここにも書きましたように、報道目的は何か、冷酷犯人で、内職で覚せい剤をやっていたと。これほど悪いやつだから、覚せい剤を仕入れるためのお金を保険金で取ろうとしたのと違いますか、という感じです。そういうような発想をみなして、原審の判決がいったみたいに一〇キロ単位でやってですね、県下にまで広げたということは、実はこの七人の中の誰一人として頭に残ってはいなかったわけです。私としては、ちょっと原審の判決がおかしいぞと考えました。一般の事件に関係のない読者に読ませてこのとおりなんだから、これは闘い得る余地があるし、そういう立場で闘っていかなければならない、というように考えたわけです。

そこで、私としては主要部分ではないことの主張と立証を、まず定期購読していることが前提だから、前からの関連記事を集めようと五四年五月一〇日から、この事件が終わりましてのちの八月一七日まで、二〇回分を、いちいち見出しと内容などを一つ一つ一覧表にして出しました。この見出しとか、活字の大きさ、写真などから裁判所に見てもらい、それから、五四年度中に起きた一年間の覚せい剤事件のX新聞の記事を全部取り寄せて見せてもらい、その中の五〇〇グラム以上のものを抽出しますと、実に全部の見出しの中に覚せい剤の量が書いてあるわけです。ただ一つ、このU事件だけが書いていない。ここに、先ほどから言うように、この一つの批評なり、ここの記者が今言おうとしていることはあるんじゃないか、それを機械的に解釈されるのは困るということです。

しかしながら、量のことが問題ですから、八グラム、二〇キロというのが出ている以上は、大がかりという程度のところでは認めてもらわなければいけないだろう、だから数量をいわなくても、大がかりというところまでが主要部分ではなかろうかと。このようなことをわれわれとしては主張し、立証していったわけです。そこで原判決は、この点に関しまして次のように判断をしてくれているわけです。まず、裁判の判決はどういう順番でやっていくかといいますと、私の言った順番ではなくて、一番最初に裁判所の判断は、見出しのところから出発して、こういうふうに書いています。

「まずこれを一見すると、冒頭の、内職に覚せい剤密売、という五段抜きの大見出しがひときわ目につきやすくなっており、その活字の大きさは八・五倍のゴシック相当の活字であり、この大見出しは同心円状の模様が重ねられることによって、さらに強い印象を読者に与えていること。次に行を改めて六・五倍の明朝体活字により、主婦らにさばく、とあり、また行を改めて小見出しに六倍明朝体活字による、保険金詐欺のUら、とあり、これらとともに被控訴人の名を付した顔写真二枚、及び被控訴人経営のT産業の写真一枚を配していることが認められる。そして、その記事内容を一読すると、全文四群において要旨四億円に上る保険金詐欺の主犯、被控訴人の経営するT産業は、贈答品販売の看板を掲げながら、実は覚せい剤の大がかりな密売組織であることは警察が突き止めたが、その数量は計八キログラム、末端価格二四億円に上ることを認めておる」と。

さらにこのようなことを言いました。

「本件記事を一見一読した一般読者市民は、要するに保険金詐欺事件の主犯である被控訴人は、実は別途、自己経営にかかるT産業の専務Kとともに大量の覚せい剤をも取り扱う覚せい剤取締法違反の罪も犯したという点に強い印象を受けたものと解される。そのゆえ、本件記事の眼目ないし主要部分も右の点にあったと解するのが相当である」と。

見出しというものを裁判所は一番にとっているわけであります。

その次に、先ほど言いました大がかりというところに裁判判決も引っ掛かっていまして、

「もっともこの種犯罪に特段の関心を有するものにとっては、本件記事その取扱量も相当に正確に印象に残ることは否めないところであるが、本件記事においては、もっとも読者に強い印象を与える見出し部分には取扱量の記載が全くないことと照らしあわすと、前文、本文中の取扱量に関する記事は、一般読者には必ずしも重要なものとは映らず、要するに、被控訴人らは大量の覚せい剤を取り扱ったことの概括的な印象を残すに過ぎないと解すべきである」

ということを言ってくれたわけです。さらにX新聞社の見出しとの関係について、

「なお以上帰結については、その他様式により真正に成立したと認められる証拠（略）によれば、控訴会社が通常、覚せい剤取締法違反事件を報道する場合には、その見出し部分において、その量と価格を明示し、一般読者に対しその正確な取扱量も印象的に訴えていること控訴人主

張の通りである」

「本件においてこれら通常の場合の記事と本件記事との取り扱いの相違にも想到すべきである」ということを認めてくれています。そして最後に「のみならず、本件記事の主要読者と考えられる配達による継続一般読者については、本件記事が掲載された当時の被控訴人にかかる同種関連記事をも考慮し、その一環としての当該記事が読者に与える印象を検討すべきであるところ、これこれの記事があって、今いうようなことが認められる」というふうに言ってくれたわけです。

結局、私としては今言うように、私の方の事務員などが言った素朴な確信ということを、どういうことで見出すか、一応判断というものはこのようないきさつで認めるということが鍵だったと思っています。

裁判所への疑問

本件については、民事事件だけではなく刑事事件も起こされていました。この刑事事件についてUらの供述調書があったわけです。これは極めて幸運だったと思うのですが、刑事事件で一審無罪であったUが、控訴審で有罪に逆転したわけですが、その理由の中に、こんなところまで書かなくてもいいのにと思うようなことが、うまいこと書いてあったわけです。つまり、一キロを仕入れて売っていたということまでが、理由の中に、事実認定の中に、書いてあったわけです。

ポイントは、記事中「八キロ」と書かれたからUの名誉が損なわれたのであり、「八グラム」なら名誉は失墜していなかったのかということです。「八キロ」なら悪い人だと思う読者も「八グラム」ならそうは思わなかったかということです。逆転勝利をした最大のポイントは「グラム数」が主要部分ではないと裁判所が判断したということです。「グラム数」だけをとってこれは事実ではないということがむしろおかしい。「角を矯《た》めて牛を殺す」という言葉がありますが、まさにそういうことです。

この控訴審は、実は一回目だけ弁論をして結審しています。地裁で合議体で決めたものを逆転判決するのに、一回しか弁論を開かないというのは、これはちょっと問題ではないかと思いました。私は勝った側ではありますが、司法というものを大局から考えた場合、こういったあり方には首をかしげざるを得ません。

ケース・9　一九八五年

看護学校生の呉服類購入契約事件

◆事件の概要

一九八五年の三月中ころ、U社が京都第二赤十字看護専門学校の生徒のところに電話をかけ、「雑誌の編集に役立てたいので、おいしいケーキのお店を紹介してほしい」などと言って、後日、数人の生徒(女性)と京都市内で会う約束を取りつけた。U社の社員は、誘い出した生徒と一対一で食事をとった後、決まって西陣織物卸商のR商店へ彼女たちを連れて行った。

例えば、生徒A(二〇歳)の場合、三月二一日に男性社員がR商店へ連れて行き、R商店の専務は彼女に対して、着物、帯、コートなどの商品を次々と出して見せ「どれが好きや? 一生の財産になる」などと言って、Aに支払い総額二〇五万五八一〇円の五年ローンを組ませた。

また、生徒B(一九歳)の場合、女性社員がR商店へ連れて行き、着物を売りつけられると感じた彼女は「親と相談しないで買うことはできない」と断って店をあとにした。

ところが、半年後にまた同じ女性社員より電話がかかってくる。和風喫茶に入った後、その女性社員は彼女に「呉服の製造元につきあって」と誘った。彼女は「また着物を売りつけられる」と不安になり、店を出てからすぐに「帰ります」と言ったが、「買わないといけないわけじゃないんだから」などと強く言われ、百貨店の呉服フェアについて行った。そして、結局、またR商店に連れて行かれた。この時も専務が直々に応対し、「どれが好きや？」と彼女に訊いたりしながら、彼女に何本か反物を見せた。こうして、Bは支払い総額二二五万四五八〇円の五年ローンを組んでしまった。

これに対して私はスピード解決を第一に考えて事件に当たった。

◆教訓と思い出

弁護士は町のお医者さん

八五年の三月に、私が大阪弁護士会の会長を辞めた直後の事件です。第二赤十字病院（第二日赤）の庶務課の方から、「うちの生徒さんが、呉服の詐欺商法みたいなのに引っ掛かってるらしい。どうしたもんでしょう」という相談があったわけです。同じ年の七月一日に私は豊田商事の管財人に就任していました。ですから、いわゆる詐欺商法についてはそれなりに知識があったということです。豊田商事の時もそうなのですが、本当に世の中でこんなことが現実にあるんだということ、しかも、自分の顧問先の第二日赤で起きているということについて、正直言って大変驚きました。

私は京都の第二日赤と懇意にしています。七〇年前に私はそこの病院で生まれ、その後いろいろな治療はすべてこの病院でやってもらっています。単なる依頼者と弁護士の関係というものを超えているわけです。実は、弁護士も町医者みたいなところがありまして、いわゆる利益第一で考えたり大きな事件ばかりやるのではなく、さまざまなことをやっていく必要があると考えています。この事件はそういう思いで手がけさせていただきました。

まず、病院の庶務課へ行き、関係書類を集めてみたところ、最初の事件は半年後に発覚してるわけです。なぜ、半年間も表へ出てこなかったのかということなんですよね。そこが問題です。

人間というのは、恥ずかしいとか、親に内緒であるとか、全体から見れば、些細なことなんだけれど、実際の被害を受けられた本人にとってみれば、目の前にあるそういうことがものすごく大きな山のように見える。そのために事件が表に出てこないという要件が結構あるものです。

私が病院に対して、こういうことは何も恥ずかしいことではないんだ。生徒の方々には、できるだけ優しく接して、ありのままを報告させるようにしなさいと申し上げた。相談を受けたからといって、直ちに弁護士である私が動くということではなく、病院としてみんなが被害をありのままに申告してくるように仕向けないといけないということを言ったわけです。で、その結果、私のところに報告書が届きました。

「二〇歳」が狙われる

数日後、私は病院へ足を運び、生徒さんたちと会うことにしました。その際、実に印象的だったことがあります。まず一番の驚きは、大変礼儀正しかったということです。例えば、私に会う時、ほぼ全員の方が入り口で「失礼します」と言ってから部屋の中へ入ってこられるわけですね。また、入ったところで立ち止まって再び頭を下げる。若い者の態度がなっていないと言われる世の中で、こういう人たちがいる。決して強制された挨拶ではなくて、自然に素直な形での挨拶でした。しかも、話を聞いていくと皆さん方、非常に明晰なんですね。

どうしてこういう人たちが一種の詐欺商法に引っ掛かってしまったのか、これは非常に構造的にうまく仕組まれていたに違いない。そんなふうに考えました。

まず、この子たちは揃って、二〇歳に達する直前にU社の社員からアプローチを受けているのですね。これは成人式の時に和服を着るという習慣を狙っている。かといって成人になる前に契約をしたら、いわゆる未成年者だということで、取り消しができる。無効になる。ところが、成人になったらそうはいかないから、二〇直前でアプローチをして、契約はほぼ二〇歳になってからサインをさせている。

人間というものは、ある日を境にして、こっち側からあっち側への世界に渡るわけじゃないのに、法律制度っていうものはそういうふうに出来上がっているわけです。成人になると、完全にその行為能力をもっているということになるのです。だからこの人間の一瞬の隙を狙うようにして、まずこのことがなされているということです。

二番目の問題。世の中っていうのは、こんなふうな純情な人も存在している。この純情な人に取り入っているわけですね。真面目さに。この手法は、アンケートに答えていただきたいとまず電話をします。で、彼女たちは非常に真面目だから、罠だとも気づかず、このアンケートに誠実に応じている。そして、夕御飯を一回御馳走になる。

そうすると、そこで、心理的に「御馳走になった」というちょっとした負担が残ってくる。で、相手方は今度はこの負担につけ込んで、呉服の店へ連れていくわけです。人間がもっている心の負担というものを巧みに利用しているのですね。彼女たちは誠実さというものを利用されて店へ連れていかれ、そこから先は次から次へと着物が出てきて、背丈を測られて、あっという間に着物をこしらえるということになってしまうわけです。

さすがに彼女たちも「いくらなんでもそんなにたくさんの着物は必要ありません」と言うのですが強くは言えない。というのも、反物を寸法どおりその場で切ったりしているんです。自分のために切ったということで、もう断れないという遠慮が彼女たちに出てくる。こういう詐欺商法というものはまるで獲物を狙う狼のように、真面目な人を落とし込むために、彼女たちが誠実であるということを見越して近寄ってくるわけです。

被害者の心の負担

もう一つ構造的なことがあります。結局、看護婦さんというのは、収入が確定しているし安定しているわけです。だから月賦にして支払いを可能にし、きっちり取り立てる。さらにもう一つ。彼女たちに近寄っていった連中と京都のしかるべき呉服屋がつるんでいたということです。ひどい話ですが、これもまた詐欺だと思わせない大きな原因になりました。いずれにしても、霊感商法にしてもみんなそうだけれど、人間の心理を読んだ、人の弱さ優しさにつけ込んだところに恐ろしさがあるし、極めて悪質な犯罪ではないかと私は思いました。

さて、こういう事件を任されて気配りをしなくてはいけないのは、被害者になった人たちの心の負担をなんとかして残らないようにするということです。「あんたたちは阿呆だ」とそういうふうに言ってはいけないし、思わせてもいけません。悪いのはこの詐欺商法を仕組んだり、それを実行する人たち。あるいは一流の呉服屋でさえおかしな人たちと手を組んでいる、そこに問題があるのであって、被害者の生徒さんたちには心の負担を残さないように解決しなければいけません。そのために私は、裁判という道を選びませんでした。なぜなら、裁判をしている間中、彼女たちは精神的な負担を感じるだろうと考えたからです。要するに、被害者の心理というものをどうとらえるのか、どうするのかということが弁護士としては非常に重要だと考えるわけです。そのために、裁判をして何年もかけるのではなく、スピード解決を図る道を選びました。

R商店とU社は共謀してこれらの生徒に突如電話をして約束を取りつけ、そのまま飲食などをさせたうえでR商店に連行しました。そして、冷静な時間的精神的な余裕を与えることなく、本人らの支払い能力をはるかに上回る高価な呉服類の購入契約を締結させたのです。また、通常二〇歳前後の生徒が単独でこのような高額な代金の支払いをすることはできないものです。にもかかわらず、購入を即決させ、そのうえ、信販会社との間でこの購入代金について、信販契約者の申込み書の連帯保証人予定欄に本人と父親名を記入させたこと。私はこれらの点を指摘したうえで、U社とR商店のこうした行いは公序良俗に反し、その売買契約立替え払い契約はいずれも無効であると主張しました。また、この件の信販申込み書には、割賦販売法に定める所定の記入がないので、立替え払い契約を解除すると通知しました。

そして、生徒らは商品の送付を受けているが、信販会社に支払いをなす義務はないとし、一部既払いの代金の返済、並びに前記三社との間で債務がないという確認をすることと引きかえに、いつでも商品は返還すると当該各社に通知しました。これについてR商店、U社側は各購入者において時間的精神的な余裕を与えることなく購入契約を締結させた事実はないし、公序良俗に反する営業方法をとっているという点についても到底承服しがたいと反論してきましたが、本件を放置するつもりはなく、双方納得のいく解決を得るべく誠意をもって対応したいと返答。その結果、左記のような合意に至りました。

一、売買契約を解除し呉服を現状のままR商店に引き渡す。

二、京都第二赤十字病院はR商店がこうむった損失の一部補償として一〇万円を支払う。

三、信販会社と生徒たちとの間の立替え払い契約を解約し、すでに支払った分割金は生徒たちに返還する。

第二日赤が一〇万円を出したことについて、第二日赤にはなんの法律的な責任もありません。

しかし、示談を早く成立させるために、看護婦さんに出させるというのではなく、第二日赤が出してあげなさいと私の方からお願いをしたのです。病院長も承諾をして解決をみました。

「人の不幸」の処理

一般論で言えば、被害者もどこかに落ち度はあるし、自らの責任をきちっと問わなければならない、反省もしなければならない。例えば、サラ金クレジットの「被害者」の方々の集会に招かれた時にも私ははっきりそう申し上げました。

「実際に自分が資料を取り寄せてみたら、皆さん方の中には、どうでもいいものを無駄に買ってらっしゃる方がとても多い。これについての責任を感じ反省をしてもらいたい」と。

一般論としては私はそういう考えをもっています。やはり心を鬼にしても、人間というものは言うべきことは言わねばならない、主張すべきことは主張しなければならない、被害者といえども甘やかしてはならない。あなたたち被害者が自立していくことが必要なんですという励ましの気持ちで、時にはきついことを言うこともあります。そういう批判を一般論として言うことは間違っていません。ただし、弁護士として、個々の事件を手がける際、その当事者の心を傷つけないように配慮するということは当然のことです。

われわれ弁護士が扱う「商品」というのは、「人の不幸」というものから出発しているわけです。しかし、「人の不幸」というものをどう処理するかというのは限りなく難しい問題です。だから、傷ついている人には優しく、居丈高になっていたり、無責任な態度をとっている人にはきつく接するとか、要するに人を見て法を説かないといけないのであり、たえず万人に対して同じ答え、態度で接するという方がむしろ間違っていると考えるのです。

ケース・10　一九八五年

金のペーパー商法・豊田商事事件

◆事件の概要

一九七七年ころ、名古屋市において永野一男が個人で豊田商事という商号を用いて、金地金の商品取引の名目で客から金を集め始めた。事件はこのことに端を発する。八一年四月二二日、永野は大阪豊田商事株式会社を設立、これが八二年四月二一日に商号変更して豊田商事株式会社となる。豊田商事は八一年春ころから「純金ファミリー契約証券」取引を始めた。これは、純金の購入を顧客に勧め、顧客が買う気になったところで、「金地金を自分で保管するのは大変だ」「会社に預けてくれれば有利に運用する」「預かっている間の『賃借料』も前払いする」と説明し、金地金の代金から「賃借料」を差し引いた額を預かり、金地金を預かっている証拠として「ファミリー契約証券」というペーパーを渡すというものであるが、豊田商事は顧客の注文に見合う金地金は購入していなかった。しかも、その商法は、老人・主婦など、純金投資に無知な層を狙い、電話で家族関係・資産状況・購入の意思など、できる限り情報を収集したうえで、外交員が直ちに顧客のところへ直行し、時には数時間以上も粘って契約を締結させるという強引なものであった。

このような商法に対しては、当初から世論の批判があり、八一年九月には、すでにマスコミに取り上げられ、以後、断続的に批判的な報道が繰り返された。また、八三年中ころには、全国的に訴訟が頻発するようになり、八四年三月には国会でも取り上げられた。

この「ファミリー契約証券」取引は、期限が来れば金地金の購入代金を顧客に返還しなければならず、顧客を無限に拡大しない限り、必然的に破綻する。事実、八五年ころには豊田商事はすでに税を滞納し、高利の借入も行うなどしていた。そこで、八五年二月、成績を上げた従業員を役員へ抜擢《ばってき》したり、報酬を引き上げるなどの制度を作り、会社組織一丸となって必死の顧客勧誘に乗り出し延命を図った。そのため、

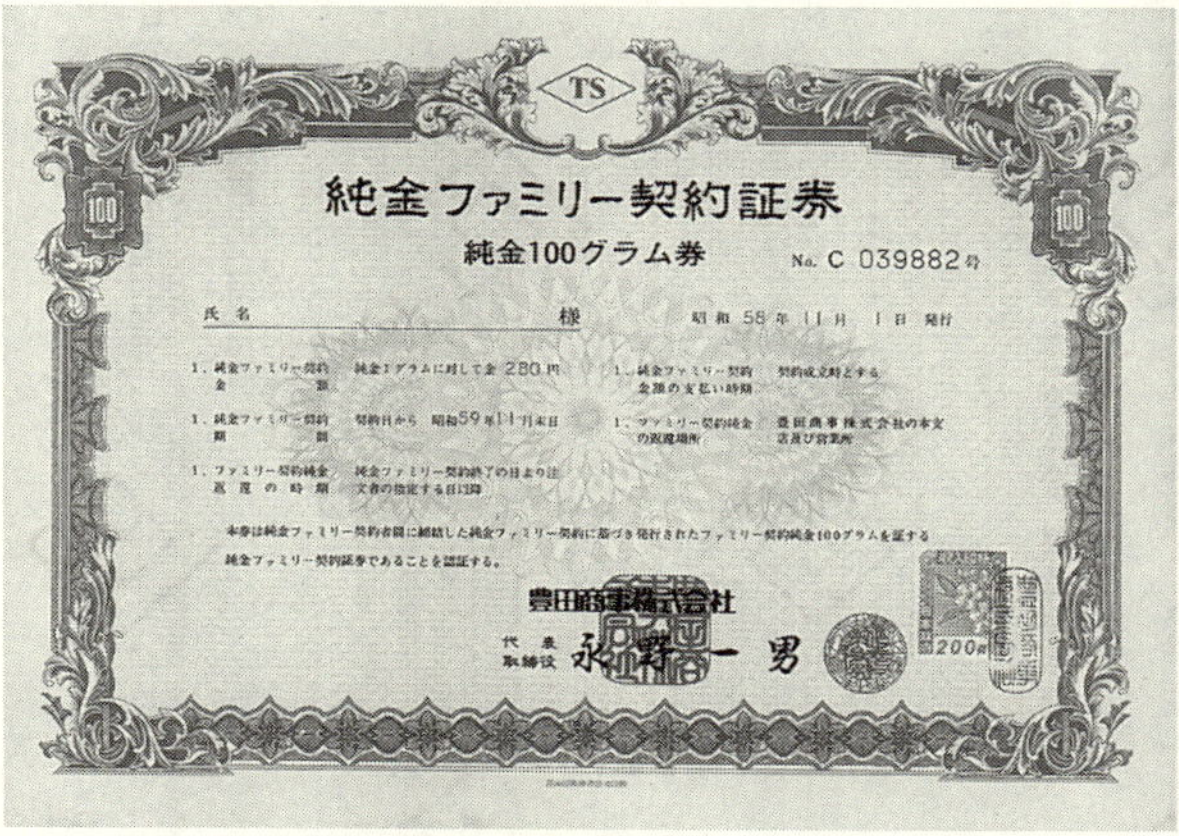
TS

純金ファミリー契約証券

純金100グラム券　No. C 039882号

氏名　　様　　昭和58年11月1日発行

本券は純金ファミリー契約者間に締結した純金ファミリー契約に基づき発行されたファミリー契約純金100グラムを証する純金ファミリー契約証券であることを認証する。

豊田商事株式会社
代表取締役　永野一男

金地金受領の証拠として渡された「純金ファミリー契約証券」

同年三月には九八億円、四月には九二億円もの金を集めた。

同年四月、関係会社の外交員が逮捕され、大量の書類が押収された。この捜索をきっかけに再びマスコミの批判報道が強まった。そのため豊田商事は、六月一〇日、「ファミリー契約証券」の販売を停止した。その後、六月一五日に外為法違反で豊田商事本体の強制捜査があり、一七日に永野一男が事情聴取された。翌一八日、永野一男は彼の自宅に乗り込んでいった男により、大勢の報道陣の目の前で刺殺された。

同年六月二〇日、被害者らにより豊田商事の破産が申立てられ、七月一日、破産宣告がなされた。そして、私と、鬼追《きおい》明夫、児玉憲夫《のりお》両弁護士が破産管財人に選任された。

この管財業務は、六年後の九一年七月一日に終了した。総配当額は一二一億八七〇〇万円（被害総額の一〇・五五七％）であった。

◆教訓と思い出

「被害者」か「債権者」か

八五年の六月でした。大阪地方裁判所の川口冨男裁判官から来てくれと言われ、行ってみたら、豊田商事の破産管財人になってもらえないかと打診があったのです。その時、「この事件は国会も行政も被害者を救済することができませんでした。だからこそこんな悪質な商法が全国的に広がったわけですが、司法にも責任があるのではないですか」と彼に言われたのです。私は司法に対する国民の信頼を維持するためにもやらざるを得ないと考えました。

この仕事を引き受けることを考え、最初に私がやったことは「被害者」という言葉を使うことについて裁判所を納得させることでした。実は管財人をやることになったという記者会見を開くにあたって裁判官の方からこんな話があったのです。中坊さんはすぐに「被害者」という言葉を使われるが、破産法上は「被害者」という言葉はないですよ、これは「債権者」というのです、だから「被害者」と呼ぶのはやめてください、と言われたのです。

裁判の場合は常に法律で規定された言葉を使うものです。詐欺の場合は「被害者」という言葉を使いますが、破産の申立てをして自分たちの出した金を返せという場合には「債権者」という言い方をするのです。裁判所の言い分は、破産に関する法律は破産法なのだから、この場合は債権者というのが正しい、被害者という言い方は間違っているというわけです。そして、必ずこれを守れと言う。しかし、私はそれはおかしいと申し上げました。

私は、わが国の司法というものが、国民と乖離《かいり》している原因の一つに、誰もが理解できる言葉を使わないということがあると思います。不法行為による損害賠償債権者のことを不法行為による被害者と呼ぶのは当たり前のことじゃないですか。それを裁判用語でしゃべらせることになんの意味があるのでしょうか。私の「被害者」という位置づけは管財人としての業務を行うにあたっての基本的な姿勢です。「被害者」と呼んではいけないというのであれば、管財人に就くことをお断りします、と強く反発しました。結局、裁判所の側が折れて、被害者、つまり豊田商事の被害者という言い方ができるようになりました。

私がこの被害者という言葉に固執したのにはわけがあります。世間ではこの事件を欲ぼけ老人が騙された事件だと、被害を受けた方々に対してあまり同情的ではなかったように思えます。馬鹿にしていたところもあった。そういった中で債権者という言葉を使うのではなく被害者という言葉を使うことによって、世間のこの事件を見る目、あるいは司法関係者の人たちがこの事件を見る目、そしてマスコミが被害者を見る目が変わってくると考えました。

それにしても、この事件における破産管財人の仕事は大変でした。金庫に残っていた金はたった二〇〇グラムだけ、おまけに現金は一〇〇〇万円程度でした。そして必要な資料はほとんどみな焼却されていたのです。この商法というのは、金を買ったあなたが、その金の地金を手にしていても利殖できないでしょう。金そのものが値上がりすることを待つしかないでしょう。

だから豊田商事が金の地金は預かりましょう。その代わり「純金ファミリー契約証券」という証券を渡します。あなたは金を買ったのだから、いざという時には金の地金があるから大丈夫です。賃料として年に購入額の一〇パーセント、長期になると一五パーセントを前払いいたします、という約束をしていたわけです。で、豊田商事の連中は被害者と契約をした際、そのたびごとに金の地金を必ず持ってくるんですね。そして、それを被害者に見せて「はい、金一キロ渡します」と言って本人に持たせるのです。ずしっと重い感触を味わわせて、で、またお預かりします、と言ってそれを戻すわけです。どのお客さんのところに行っても、金そのものが豊富にあると思わせました。もちろん、実際は金などほとんどなかったわけですが。豊田商事の商法というのはこういうものでした。

調査を通じて豊田商事のセールスマンと接触する機会が増えましたが、話が自分の責任ということに及ぶと、とたんに口をつぐんでしまいます。私は、どんな人でもよく話をすればわかるはず、その人の本音が聞けるはずという気がして、彼らと行動を共にしたのですが、彼らは自分の良心を金で売ってしまったというか、人間というものが本来もっている良心というものがまったく消え去ってしまっているんですね。私はそのことに大変な恐ろしさを感じました。戦時中のアウシュビッツではないけれど、人間というのはよくこんな恐ろしいことができるなあと驚きましたね。

顧問弁護士へも顧問料返還請求

豊田商事の事件があったのは八一年から八五年までの間でした。しかし豊田商事のセールスマンだった人たちは、その後もあちらこちらで悪徳商法の実行犯になっています。心根は直らないのですかねえ。こういう人間を生み出し、社会に拡散したという点においても豊田商事の事件は社会的に大きな被害を与えたといえるのではないでしょうか。

私は加害者の調査だけではなく、当然被害者の調査も行いました。被害者の方々と接してその実態に触れた時、彼らのほとんどは本当のことを言うと金儲けを一番に考えて契約をしていたわけではなかったのですね。どうも話がおかしい、危ないということを感じながら、孤独な自分のところに何度も訪ねてきて肩を揉んだり話し相手になってくれたりして随分親切にしてくれる。それだったらいいかと思って契約をした人が結構いたということです。そういう老人問題の本質がそこにありました。

公害の被害者は二度殺されるという言葉があったように、常にこういう被害者というのは二重の苦しみに遭っています。一つは被害そのものによって。豊島《てしま》もそうだけれど、本来、被害者を守ってくれるはずの自治体だとか国によって苦しめられる。もう一つ大きいのは世の中、世の中の冷たさなんです。豊田商事事件の被害に遭ったお年寄りたちは、豊田商事のセールスマンたちがあそこまでサービスをしてくれるんだったら、年寄りを大事にしてくれるんだったら、どうなってもよいと思うような善良な人たちであるのに、世の中の人は「欲ぼけばあさんやじいさんが引っ掛かった事件」だと見ているわけです。だから、その二重の批判、苦しみを受けているというところに問題があるということに気がついた。それに気がついたということが、結局その人たちの胸を開かせたと思います。

だから、結局、事件を手がける時に弁護士にとって一番大事なのは、同じ目線でものが見られるかということなのです。これはどんな事件を手がけるにしても一番必要なことなんです。被害者と同じ目線で事件を見られるかどうかということが大切なんです。共に喜び、共に泣くということでないと、弁護士というものはできないんです。弁護士というのは、得てして自分が代理人であって教えているんだというような立場になるものですが、私の事件への対応の特徴は当事者と同じ目線で、同じ気持ちになるということです。終始一貫全体を通じてそうであって、それは「M市場事件」の時から庶民対庶民の感情とかそういうものを肌身でわかるように努めました。

私が弱者の不条理な部分に泣くというのは、落ちこぼれ組である自分の生き方や育ち方に拠っているのです。豊田商事事件でいっても、被害者であるお年寄りたちのそういう気持ちを知っているというだけじゃ意味がない。知っているだけじゃなくて、見てきてそれを理解するということが大切なんです。弁護士というのは代理人です。だからすぐ第三者的立場になってしまう。それはいけない。いくら弁護を失敗しても死刑になるのは自分じゃないわけですよね。会社が倒産するのも自分じゃない。弁護士というのは、常に第三者であるというふうに思ってしまう危険性がある。それに気がつかないで、自分たちは被害者にただ法律の条文を教えていたらいいと思っている。それは間違いです。被害者と同じ気持ちになる。そうするとものの見方が違ってくる、そこが大切なんです。

詐欺の被害に遭った人たちにわずかながらでもお金を分配することができればいいと思っていましたが、豊田商事に資産などありません。お金を取り返すのは非常に難しいと思われました。普通ならどうしようもないと考えてあきらめるのですが、私は発想を転換すれば道は開けると言い続けました。まず、豊田商事だけではなく、このグループ全体の中核でもあった銀河計画という会社の破産申立てを行ったのです。この中核部分を押さえることによって、金の分散化を防ぎました。私がやろうとしていたことは管財人の仕事の枠を超えていましたが、私はこの犯罪集団、詐欺集団を徹底して糾明しようと考えたのです。

例えば、彼らが雇っていた顧問弁護士からもお金の返還を請求しました。この人たちは詐欺商法を遂行させるための法律上の指南をやって、中には一カ月に一〇〇万円を超す顧問料を取っていた人が何人もいました。私はそういう弁護士に対しては、私自身が彼ら一人ひとりと会って事情聴取を行いました。そして、豊田商事のグループから受け取ったお金は全部返還をしなさいということで、一億円、二億円と返してもらった人もいました。自宅を売却して返していただくということも行いました。

それから豊田商事の社員、末端のセールスマンたちは、儲けっぱなしでさっさと逃げ、身を隠した人が多かった。彼らの中には歩合給として月に一〇〇万円、二〇〇万円を稼いでいた人もいました。歩合が多い人ほど被害者を騙しているということにほかなりません。したがって、この人たちからお金を返還させようと考えました。どうしたか。給料は所得税が源泉徴収されていますから、その源泉徴収票を見れば、誰がいくらの所得があり、どれだけ税金を納めていたかということがわかるのです。税務署に行けばすべてわかります。私はこの源泉徴収された税金分を国税庁から取り戻せばその分を被害者に返還することができると考えたのです。

私は国税庁に足を運び、豊田商事のセールスマンたちが所得税として納めたお金を全部返してほしいと申し上げました。国税庁の職員はびっくりして笑いましたね。「中坊さん、それは無理です」と。「われわれはそれが賭博の金であっても売春婦の所得であっても、所得税というものは取る」というわけです。しかし私はあきらめませんでした。何度も何度も私一人で国税庁に足を運びました。秘書はもちろんのこと、有力政治家を連れていくなどということもやっていません。そしてついには国税庁が折れてくださったわけです。

嬉しかった被害者の言葉

破産管財人側が従業員を相手取って裁判を起こし、その従業員の報酬契約が公序良俗に反して無効であるということが確定すれば、その分に相当する所得税は返すということを国税庁は認めたのです。簡単に説明しましょう。給与所得、事業所得、雑所得の三つのうち、給与所得、事業所得に対しては源泉徴収の義務が生じます。しかし、雑所得にはその義務はありません。一方、雇用、つまり人を雇うのにも法律を犯さないように雇わなければなりません。したがって労働時間が長いとか無理な雇用契約を結んだりした場合、この契約は無効ということです。また公序良俗に反するような行為があった場合において、そこに雇用契約があったとすればそれを無効にすることもできます。そうすると「詐欺をさせる」というような雇用契約は当然無

1987年、豊田商事の元従業員に対する破産管財人からの
不当利得返還請求訴訟判決が出た日の会見

効になるわけです。したがって、無効な雇用契約によって生じた給料は給与所得ではなく雑所得ということになるのです。で、雑所得には源泉徴収義務はありません。だから豊田商事が源泉徴収して税務署に納めた税金は本人、つまり豊田商事の社員に返すことができるんです。そうすることによってこの源泉徴収分のお金を取り戻すことができるということです。そしてそれが実現したのです。

しかし、この方法を見つけだし、実際にお金を取り戻すのは大変なことでした。私は何度も何度も国税局に通ったのですが、当時の直税部長が最後にこんなふうに言ってました。

「中坊さん、招かざる客という言葉をご存じですか。実はあなたが国税局に来られる時、その都度われわれは『また招かざる客が来た』と悪口を言っていたんです。しかし、いつもあなたはたった一人でやって来て、お金を返してくれと言う。われわれが言うことに関して精一杯反論する。答えが間違っていようが合っていようが、とにかく全部反論する。そのひたむきな姿を見ているうちに、私たちは『窮鳥懐へ入れば猟師もこれを撃たず』という意味がよくわかってくるようになりました。鶴田浩二の映画でやっていたやくざの殴り込みの場面がよくわかりました。大勢で来たら闘えるんだけど、ああいうふうにたった一人で気合で斬り込んでこられたら、一人を皆で殺すということはなかなかできないものなんですね。国税局は今まで見落としていた喧嘩《けんか》の仕方というのがもう一つ良くわかりました。だから、そのお返しというか授業料として中坊さんにあの方法を教えてあげたということです」

人間、粘りとひたむきさが大切です。他人のためにひたむきにやっていたら、恨まれずに共感をもってもらえるものなんです。

結局このやりとりの結果、国税庁から一三億円を取り戻すことができました。

そして、そういったものを全部合わせるとだいたい一二〇億円になりました。被害者の皆さんには一割配当しかできませんでした。被害者集会の中でそのことを申し上げると、一人の女性の方が立ち上がってこう言われたのです。

「中坊さん、そんなに卑下することないですよ。濡れたタオルを絞って出した千円と、乾いたタオルを絞って出した千円とでは全然値打ちが違うのだから」

私は乾いたタオルを絞り上げるようにして頑張ったと、その方は言ってくださったわけです。嬉しかったですね。その集会の会場から出る時、おじいさんやおばあさんから握手攻めにあいました。配当は少なかったけれども、被害者の皆さん方は納得してくださったのではないかと思っています。

悪いやつほどよく眠る

管財人を引き受けたこの事件のポイントは「実態解明」でした。仲間の弁護士と共に、これを徹底的にやったことが、一定の成果につながったと考えています。それにしても、実態解明を進めた結果、到達したのは「悪いやつほどよく眠る」という諺《ことわざ》です。要するに、豊田商事は被害者からすると詐欺商法で騙した悪いやつということになるのですが、その豊田商事を利用したやつがいるということです。要するに悪いやつというのは、今だったら「そごう」の水島広雄前会長とかの名前が出てくるわけですが、本当の悪っていうのは、裏にいてよく眠っているんですね。この事件でいえば、例えば、大手の建設会社をはじめ豊田商事を利用したやつがいるわけです。そして、利用した所から順番に金を取り戻していくと、最後には国税庁に辿り着いたわけです。とにかく、世の中というのは常に、世間が「悪だ」と叩いているやつのもうひとつ上に隠れた存在があるのです。われわれは、それを見抜かないといけません。

ケース・11　一九八七年

ホテルの名称使用差止め事件

◆事件の概要

T観光株式会社は、一九七〇年以来、A海岸において「B寺ロイヤルホテル」という名称のホテルを営業しているが、このホテルから一〇キロメートル離れたところに、D株式会社がホテルを建設し、八五年一〇月に営業を開始しようとしていた。その名称は「A浜ロイヤルホテル」。

八七年六月二二日、T観光は、パンフレット等に自らのホテルを「B寺ロイヤルホテル」もしくは「A浜B寺ロイヤルホテル」という呼称で表示しているとして、D社に対し、名称使用を中止するように求めてきた。これに対し、D社は、T観光が「A浜B寺ロイヤルホテル」との呼称で表示した事実はないとして、名称使用の中止を拒否した。

そこで、T観光は、七月二九日、営業表示使用差止めを求めて訴訟を提起した。その理由とするところは、「A浜ロイヤルホテル」という名称が「B寺ロイヤルホテル」という名称に類似しているとして、客を不当に奪われたり、自分たちのホテル利用予定者が間違って「A浜ロイヤルホテル」の方へ行ってしまうことへの防止対策を立てる必要があるなどの不利益を受けるおそれがある。そこで不正競争防止法に則り、D社が「A浜ロイヤルホテル」という名称を使用することを差止める権利があるとして当該地の地方裁判所で裁判を起こした。

事件は一二回の期日を重ねた末、八八年一〇月一三日、D社が「A浜ロイヤルホテル」、T観光が「B寺ロイヤルホテル」の名称を使用する旨の和解が成立した。

◆教訓と思い出

固有名詞と普通名詞

これも世間でいうところの面白い事件でした。「ロイヤルホテル」というのは固有名詞なのか、誰もが使える普通名詞なのかというのが一つの問題です。固有名詞ならば一つの物を特定するためのものであるから尊重されるわけで、商号としても商標としても保護されるわけです。問題はここでいう「A浜ロイヤルホテル」の「A浜」という言葉が固有名詞なのか普通名詞に近くなっているのかということです。相手方はA浜のそばのB寺というところにあるホテルだから「B寺ロイヤルホテル」だと、こちらはA浜のそばにあるのだから「A浜ロイヤルホテル」だとしたわけです。

ところが、相手方は、「B寺とつけばA浜という名前を連想するほど一体化している、同一視されている。B寺はA浜の中心的保養地であるので名前が違うからといって営業表示として識別する機能を果たさない」、と言うのです。しかし、実際、「B寺」と言ってすぐに「A浜」を連想するような人がそんなにいるとは、とても思えませんでした。

D社の弁護を務めた私はこう反論しました。まず、T観光が自己のホテルを表すものとして一貫して使用してきたのは「B寺ロイヤルホテル」であって「A浜B寺ロイヤルホテル」ではないということです。彼らが「A浜B寺ロイヤルホテル」という名称を使用し始めたのは、この一件で訴えを起こした後のことだったのです。

実は、私たちは向こうのホテルに足を運んで、この点について調査をしたのです。土産物を買ったら包装紙や袋には「B寺ロイヤルホテル」と記されてはいるけれど「A浜B寺ロイヤルホテル」とは記されていませんでした。マッチ箱やナフキンや便箋もみんなそうでした。ただ、パンフレットと看板だけは「A浜B寺ロイヤルホテル」に書き換えていたのですね。したがって、この「A浜B寺ロイヤルホテル」という名称は周知のものであるとはいえないと主張しました。

また、「ロイヤルホテル」の「ロイヤル」という言葉は本来「王室の」という言葉ですが、今や一流ホテルを表す一般用語として、日本のみならず世界中のホテルにおいて使用されており、自他の弁別において重点を置き難いものだと指摘しました。それに、両方のホテルの外観、呼称の点はまったく異なり、別個の地名であることからしても両表示は類似のものだとは言い得ない。それに、「A浜」の表示が「B寺」の表示に類似している、一体化しているという原告の主張は的外れだとして、不正競争防止法などによって禁止される対象にはなっていないと反論したのです。そのうえで、相手方に話し合い解決を呼びかけたのですが、その結果八八年一〇月一三日に和解が成立しました。

勝訴的和解

主な和解条項は左記のとおりです。

一、T観光は、D社が「A浜ロイヤルホテル」の表示を使用することを認め、右使用に対して何らの異議を述べない。D社は、T観光が「B寺ロイヤルホテル」の表示を使用することを認め、右使用に対して何らの異議を述べない。

二、営業主体についての区別を明確なものにするために、各ホテルの表示の使用などについて以下の措置を行う。施設および営業について「A浜B寺ロイヤルホテル」の表示を使用しない。宣伝ないし顧客の案内のための印刷物、看板などの営業表示を記した物品のうち、「A浜B寺ロイヤルホテル」と記されたものについて、一部を除き八八年一二月末日までにその使用を止める。

D社は、パンフレット、チラシ、新聞広告などの印刷物における「A浜ロイヤルホテル」という営業表示記載のページ中、最も大きい活字をもって記載された表示（文章中のもの及びヘッドコピーを除く）の各文字の幅二分の一以上の幅を有する活字をもって、以下のいずれかの表示を記載する。「Dロイヤルホテルズ」「D　ROYAL　HOTELS」「Dロイヤルメンバーズクラブ」「D　ROYAL　MEMBERS　CLUB」。

内容を見てもらえばおわかりのとおり、明らかに勝訴的和解です。まあ、勝って当然の事件でした。世の中には、こんな「難癖」をつけるような事件もあるということです。

ケース・12　一九九二年

グリコ・森永脅迫犯模倣事件

◆事件の概要

一九九二年一〇月二三日、この日、当番弁護士となっていた私は、大阪弁護士会からの連絡を受け、大阪の淀川警察へ被疑者G（四九歳）の接見に赴《おもむ》いた。

Gは兵庫県でメリヤス加工の工場を経営していたが、業績悪化のため資金繰りがつかず借金がかさんでいった。そして、高利の金融に手を出すに至り、九〇年には負債総額が四三〇〇万円を超すほどになった。この借金の返済に窮した彼は、「グリコ・森永事件」の犯人を真似て、九一年の暮れに農薬入りのカップ麵に脅迫文を添え、N食品に宅配便で送りつけた。そのうえで同社に電話をかけ、「即席麵に毒物を混入してスーパーに置く」と脅迫し、三〇〇〇万円を自分が指定する普通預金口座に入金するよう要求した。

しかし、N食品側は慎重かつ周到に対応。数回にわたる電話でのやりとりを経て、Gは同年一〇月二一日に警察に逮捕された。

弁護に当たった私は、Gの犯行の稚拙さを指摘しつつ、続出する「グリコ・森永事件」の模倣犯を防ぐためには、真犯人を逮捕することが一番で、模倣犯に対して身代わり的に重罪を科すべきではないと主張した。

大阪地方裁判所は、九三年九月一六日、被告人に懲役二年（未決算入二四〇日）の実刑判決を下した。

◆教訓と思い出

当番弁護士というシステム

当番弁護士制度というものがあります。これは、逮捕されたり拘留された被疑者やその家族などの求めに応じて、各地にある弁護士会が、その日の当番となっている弁護士を被疑者のところへ派遣するもので、九〇年の大分、福岡両県を皮切りに、九二年以降全国の弁護士会で実施されています。派遣された弁護士は、初回の面接において、被疑者の権利、弁護人を選任する意味や弁護人の役割などを説明しますが、初回に限っては無料ということになっています。

弁護士は司法制度について批判をしているだけではなく、自らが血を出して国民のために実践しなければならない。それを実行することによって本来の目的が達成される。そういう観点からすると、この当番弁護士というのはぜひ必要な制度で、私は日本弁護士連合会（日弁連）

の会長時代からこの制度を全国に広めて定着させるべきだと言ってきました。そして、私の任期中に当番弁護士制度が発足しました。

「現場体験なくしてものごとを語るなかれ」というのが私の信条ですし、口だけではなく、自分も一回当番弁護士をやらないといけないと考えていました。そこで、九二年の四月に大阪弁護士会に対して、自分も当番弁護士になりますという登録をしたわけです。当番弁護士として行ったら警察がどのように扱うか、裁判所がどのように扱うか。あるいは被疑者や家族がどう対応するか、それは実際に体験してみないとわからないという思いが前々からあったので、そのすべてを見届けるためにも当番弁護士をやろうとしたわけです。

その結果、この年の一〇月二三日が私の当番日となりました。必ずお呼びがかかるというわけではないのですが、この日はあちこちうろうろしないで事務所の中で待機していました。すると、午後二時四〇分に大阪弁護士会から電話が入りました。大阪の淀川警察へ被疑者Gの接見に行ってくれということでした。私はすぐさま警察に向かいましたが、もちろんこのGという人とはまったく面識がありませんでした。

さて、今でこそ全国に普及している当番弁護士制度ですが、この制度を作るために、私は日弁連の会長として積極的に動きました。その上で、発足したこの制度をいかにして捕まった被疑者に知らせるかということに、心をくだきました。そのために、警察や検察庁と私自身が交渉を重ねました。日弁連の会長として交渉していたわけです。警察も検察庁も法務省も「留置場に当番弁護士のＰＲポスターを貼ります」と言ってはくれましたが、その程度でした。実は、一番いいのは裁判官に告知してもらうということなのです。拘留された翌々日の拘留手続きの際に、裁判官がこの制度を被疑者に教えるということです。

今の制度では起訴されたら国選弁護士がつきますが、被疑者段階では任意ということで国選弁護士はつかなくなってしまう。当番弁護士のいいところは先ほども申し上げたとおり、少なくとも一回目はタダ、無料ということ。弁護士が接見に行くと弁護士会から手当が出る。それから後、私選ということでやるなら、私選としての弁護料を取りなさいということになります。そして、もし本人が貧しければ扶助事件として申請するのです。そうすると、法律扶助協会から手当が出るんです。かといって法律扶助協会も資金は乏しいし、Ｇ本人も支払い能力がない。したがって、この「グリコ・森永脅迫犯模倣事件」は、結局起訴後もずっとタダでやることになりました。もちろんそんな義務はないわけですが。

Gがそれほど悪人と言えるかというといまだに疑問に思っています。だからこれが実刑判決になっていることについても、私はそれでよいのかという思いがあります。

この事件は結果的に、N食品の総務部長が最初の脅迫電話から警察に連絡して、順番にGをコントロールしている。ある意味ではおとり捜査のようなことをしていたわけです。本人をどうにかして引っ張りだして逮捕しようと、そのために本人に金を払うと言ってみたり、待ってくれと言ってみたり。何度もやりとりしています。では、そうやって電話をかけてやりとりをしていたGがそんなに悪いことをやっていたのかというと、そんなことはないと今でも思っています。

弁護に当たった私は、まず、「グリコ・森永事件」以降多発した模倣犯に対し、個々の事案を捨象し、一律に重い刑が言い渡される傾向にあるということを指摘し、これは模倣犯をいわば「グリコ・森永事件」の犯人の身代わりとして、あるいは見せしめ的に重刑を科そうとしているように思われると裁判所に申し上げました。そのうえで、

一、被告人は、当初からカップ麺をスーパーに送付するつもりはなく、現に送付されなかっ

た。

二、N食品に対しては脅迫が繰り返されていたのではなく、逆に被告人逮捕のために交渉が引き延ばされ、被告人も犯行を断念し、泣きながら「脅迫はもうやめるから五〇万円だけでも融資してほしい」と懇願することすらあり、一度は犯行を自ら中止している。

三、犯行自体が稚拙である。

四、事業の失敗による負債の増加が犯行の動機であるが、現在、破産手続き中であり、犯行の原因もこれによって解消される。

五、被告人は更生意欲が高く、親族も援助を惜しまない。

このようなことを述べ、執行猶予の判決を求めました。

この事件で極めて印象的なのは、この人は犯罪者であることは間違いないのですが、どうしたら犯罪者は更生できるのかということです。そして、犯罪者を取り囲む家族をどうすれば社会から救済できるのかということが大切だということです。だから、裁判所というものは、有罪無罪の判決を言い渡すだけで、刑事の判決というのは限界があります。そのことを通じて社会の秩序あるいは平和というものをどうやって維持していくのか。そういったところまで自分の視野に入れなければならない。そういう意味で言うならこの事件を担当した裁判官はその能力が欠如していたと思われます。
　警察も検察官も単に犯人を捕まえることを追求しているだけで、もっと広い意味において犯罪を社会からなくす、犯罪者を更生させるために、あるいは犯罪者の家族を社会から弾き飛ばしたりしないで社会がその人たちを抱えていくということについて、もっと思いを致すべきだということを、この事件をとおして考えました。だから、ある意味において警察や検察庁はやむを得ないとしても、この事件における裁判所のあり方というのは極めて問題であると考えています。これは、法曹一元化の問題ともかかわってくるのですが、官僚裁判官には限界があります。まさに官僚裁判官の弊害です。官僚裁判官が悪いと言う気はありませんが、限界があるということです。

国民の信頼を

　実はこの裁判で、今でも私が気にしていることがあるのです。それは、五回目ぐらいの時、同じ事務所の日高清司《きよし》弁護士にはそのままいてもらって、私自身は途中で法廷を中座したことがあったのです。後で知ったのですが、刑事事件の場合、法廷で陳述できるのは原則として主任弁護士だけなのです。他の弁護士が陳述するには、裁判長の許可及び主任弁護士の同意が必要なのです。ですから主任弁護士が退席する場合は、以後、他の弁護士が陳述する旨の許可を得ておかないとだめだということなのですが、私はその手続きをせずに退席したわけです。実は、刑事事件はさほど手がけませんので、そういった習わしというか手続きを私は知らなかっただけで、わざと無視したわけではなかったのです。

ところが裁判官がそのことをいたく根にもって「中坊というのは日弁連の会長をしてて偉いのか知らんが、私に断りもなく外へ出るとは何事や」と別の機会に日高弁護士に言ったそうです。それだったら、裁判官は私にその場で言うべきだと思うのですよ。「これから先は日高先生が陳述されるのですね」って言えばいい。

まさかこのことが原因で「実刑」判決にしたということはないでしょうが、私はこの刑事判決が、そんなことで悪い影響を受けたのではないかといまだに気にしています。

この事件では異常なまでに頑張りました。何度となく遠方にある被告人の家にまで行き、家族にも会い、債権者にも会ってきました。債権者とは二度三度と会って話し合いをしていただきました。そして、この破産の管財人の費用を出し、例の農薬入りのカップ麺について、あの分量で死ぬのか死なないのか、もう一回鑑定をしたりと、実にいろいろなことをやりました。

なぜここまでやったのか。自分が制度化を推し進めた当番弁護士制度というものを本当に定着させるためには、手抜きが許されないと考えたのです。

借金に追われてこの人は道を踏み外したわけだから、本人を更生させるためには、その膨大な借金の整理をしてあげないといけない。これが大切なのです。妻が保証人になっている分をどうするのか、結果的にはしなかったけれど妻の離婚請求をどうもっていくのかとか、いろんな問題があります。私は一連のことをみんなやりました。かかった費用も一〇〇万円ではきかないと思います。裁判というのはそこまで眼光紙背に徹するものでなくてはならないのです。これを一件一件いい加減に手抜きをするようであれば、結局、司法というものは国民からの信頼を失うことになるでしょう。

いずれにしても、当番弁護士をやったのはこれ一回だけ。そういう意味では、これまた思い出深い事件でありました。

ケース・13　一九九三年

産業廃棄物の不法投棄・豊島《てしま》事件

◆事件の概要

一九七五年一二月、豊島《てしま》総合観光開発は香川県の豊島で有害産業廃棄物処理業を行いたいと香川県知事に許可申請した。これに対し、住民は建設差止め請求訴訟を提起する。そこで、豊島総合観光開発は「ミミズによる土壌改良剤化のための処理」のみを行うと申請内容を変更した。許可権者の香川県は、行政としては許可せざるを得ないとして、住民に対しこれを受け入れるように強く要請するとともに、定期的に豊島総合観光開発を監視し、必要な行政指導を行う旨の約束をした。これを信じた住民は詳細な操業の条件を付したうえで裁判上の和解をすることとした。

豊島総合観光開発は七八年の四月から「ミミズによる土壌改良剤化のための処理」業務を始めたが八三年には事実上廃業し、シュレッダーダスト（自動車の解体に伴う廃プラスチック）・廃油・汚泥等を搬入して野焼きを行うようになった。同社はシュレッダーダストは廃棄物ではなく金属回収を行う原料であり、これを野焼きして金属を回収しているのであるから、廃棄物処理法による許可は不要であると主張していた。これについて香川県は同社を指導監督するどころか、逆に同社を廃棄物処理法違反で起訴した高松地検に対して、同社の主張を認める説明を行っていた。しかも「金属回収」というのが虚偽であることを知ったうえで、同社に対して金属くず商の許可を取るよう助言までしていた。

九〇年一一月、兵庫県警は豊島総合観光開発を廃棄物処理法違反の容疑で摘発。当初、シュレッダーダストは廃棄物ではないと説明していた香川県も廃棄物であることを認めるようになり、豊島総合観光開発に対してこれを撤去せよとの措置命令を行った。しかし、同社はドラム缶等ごく一部を撤去したが、五〇万トンを超す大量の廃棄物を放置したまま実質上倒産した。その間、香川県は周辺の調査を行い、有害物質が検出されたが周辺環境への重大な影響はないと発表し、廃棄物撤去の必要性を事実上否定した。そして、この問題に責任を負うべきは豊島総合観光開発であり香川県ではないと主張した。

そこで住民は弁護士に公害調停の申請を依頼した。公害調停の申請に先立ち、現場確保のため、処分場の処分禁止と占有移転禁止の仮処分を行った。また、将来、処分場を住民が取得する途《みち》を残すために処分場の仮差押えを行い、住民が処分場を調査するため、処分場の立入り妨害禁止の仮処分も行った。

そして、九三年一一月、住民四三八名は香川県・豊島総合観光開発・豊島総合観光開発社長・香川県の担当職員・廃棄物排出企業二一社を相手として、公害等調整委員会に対し、廃棄物の撤去と住民一人当たり五〇万円の損害賠償を請求する調停を申請した。公害調停は六年半に及んだが、二〇〇〇年六月六日、①県が行政責任を認め住民に謝罪する、②産廃を豊島の西約五キロの位置にある直島（同県直島町）に運搬し処理する旨の調停が成立した。

◆教訓と思い出

九三年の秋、豊島の住民が私のところへ相談に来られました。なんとかしてもらいたいということだったのですが、不法投棄の時効までは一カ月しか残っていなかったし、これはどうしようもないと感じました。とはいえ、一度現場へ足を運んでみようと考え、一〇月一〇日に豊島へ向かいました。

豊島は小豆島の西隣にある周囲二〇キロメートルほどの小さな島で、行政区分上は香川県小豆郡土庄町ということになります。一四〇〇人ほどの方がこの島で暮らしていますが、漁業と農業に従事する人がほとんどで、七割以上が六〇歳を越す高齢者です。私の事務所がある大阪からこの豊島へ行くには、主に二つのルートがあります。それは、船でまず小豆島へ行き、そこで船を乗り換えて豊島に渡るルート。もう一つは、列車で岡山の宇野駅まで行き、ここの港から船で豊島へ渡るルートで、どちらも大阪からは三時間ほどかかります。私はいつも宇野港から豊島に入るルートを使いましたが、九三年の一〇月一〇日に初めてこの島に渡ってから二〇〇〇年六月六日の公害調停の調印式の時まで、この二つの港を行き来した回数は一五〇回を超しました。

私も若くはないし体調が万全だというわけでもありません。したがって、そうしてたびたび現場に足を運ぶということはしんどいことでした。特に、九六年七月に住宅金融債権管理機構の社長に就任してからの四年間は、さまざまな公職に就いて多忙を極めるようになり、正直言ってかなりきつくなりました。しかし、なんとしてでも豊島の問題は住民が納得できる形で決着をつけたかったのです。それは、豊島の人たちだけのためではなく、国民全体のためでもあると考えたからです。

国民主権は人類普遍の原理ですが、わが国では依然としてこの国民主権が形骸化しています。日本国民にとって主権というものは与えられたものであって、国民は本当にそれを自分たちのものにしていません。すなわち、何か問題が起きた時に、そこでどう考えどう行動するのかについてまったく考えていないのではないでしょうか。ですから、私たちは国民主権を実質化させる必要があるのですが、ある意味において豊島の運動は、まさに国民主権の実質化運動だったのです。

この問題に着手して間もなく、一二年にもわたる不法投棄をやめさせるために、なぜもっと早く行動しなかったのかと問いただした私に、豊島の住民はこう言い返されました。

「中坊先生、瀬戸内のちっちゃな島に住む人間にとって、県は私らのお父さんなんです。どこの世界に親が子を騙して泣かすようなことがありますか。だから、私らは県の言うことを信じたのであって、騙された私らを責めないでください」というわけです。けれども、私はこう諭《さと》しました。

「確かに県はけしからんし、罪なくして罰せられたあなた方は本当にお気の毒やと思う。しかし、あなた方にも落ち度はあった。権力というものは甘くない。国民主権といったって国民の暮らしや権利というものは、じっとしとって守れるものじゃないんです。主権者であるあなた方が足を踏み出さないと守れないんです」

事件が私を鍛えた

それから七年近く、立ち上がり足を踏み出した豊島住民は、膨大な時間と金銭と労力を費やしながら粘り強く運動を続け、国民主権の実質化を実践して見せました。

住民の多くは私に感謝の念を抱いてくださっているようですが、私の方もまた豊島の皆さん方に感謝しています。私が豊島の問題にかかわったのは還暦を過ぎてからですが、この事件によってまた多くを学び、鍛えられ、そして成長したように思います。

三〇回を超した公害調停はほとんど東京で行われ、いつも豊島住民の代表の方々や、われわれ弁護団は高額な交通費をかけて上京していたのですが、「最終調停」となった二〇〇〇年六月六日の第三七回の調停期日は、地元豊島の小学校の体育館で開いていただきました。この日、平日の昼間にもかかわらず体育館には六〇〇人の住民が足を運びました。おそらく、豊島のほぼすべての世帯から一人以上が駆けつけたと思われます。そして、新聞やテレビなど近畿を中心に全国から一五〇人以上のジャーナリストが取材に来ていました。そして、この場所において、豊島住民と香川県が、国の公害等調停委員会が示した調停文書に署名押印し最終合意が成立したのです。合意には香川県知事の謝罪が盛り込まれ、調停の席で、真《ま》鍋《なべ》武《たけ》紀《のり》知事は「心から謝罪します」と住民に向かって初めて頭を下げてくれました。

この「最終調停」の場で行った私の話と、この調印式の三日前に住民大会で行った私の挨拶をこのあと紹介させていただきます。そこには、この事件を通しての私の思い出や教訓が語られています。

「六月三日の住民大会での挨拶」（一部割愛）

二つの涙

中坊でございます。本当に良かったと思っております。このような住民大会がなされるとは、私自身も思っておりませんでした。それだけに、今日のこのような成果が得られましたことについては、本当に住民の皆さま、あるいはこれを支えていただきました弁護団の皆さま、マスコミの方々、あるいは広くは日本国民全体の方々に対しまして、本当に心から感謝の意を表したいと思っております。

同時に、五五〇人の申請人の方の一〇パーセントを超す六九名の方々が、この六年六カ月の間に今日の成果を見ることなく、すでにお亡くなりになりましたことについて、本当に万感胸に迫るものがあります。私も午前中お墓に参りました。村山政昭さんのお墓に参りまして、奥さんが申されるには、平成八年四月一日に村山さんが亡くなられました時に、「自分が自治会長の時に起きた事件なのに、中途半端なまま何もできずに終わるのか」と言って残念がりながら亡くなられたそうです。また、稲塚ムメさんのお墓にも参ってまいりました。テレビでも放送されましたが、あの方が国会議員の方に対しまして「香川県の知事さんに、ちょっと、意見してください」と言われた言葉が本当に昨日のことのように思い出されます。しかもムメさんはご承知のように、次第に健康を害され、終いにはベッドの中でものを言われておった姿が思い出されます。それが本日こうして、この成果を見ることなく、今年の五月七日にお亡くなりになっております。

同時に、私たち弁護団の中からも、阿左美信義《あざみのぶよし》弁護士が最終合意案をわれわれがまとめておるその当日に、実はこの世を去っておるわけです。本当に私たちの闘いというものが、年老いた私たちの命を懸けての闘いであったということを、あらためて認識したものでございます。

さて、本日このような最終合意案に至るにつきまして、私はもう一度皆さん方と共に考えていかねばならないことがあるのではないかと思います。皆さんも、もう一度思い返していただきたいと思うのであります。と申しますのは、世の中というのはこのような結果が得られますと「良かったなあ、良かったなあ」と言って、物事の今までの経緯を忘れるものであります。私自身にとりまして、公害調停を申立てましてから今日までの七年の間で、一番胸に残ることと申しますのは、平成九年七月一三日の住民大会のことでありました。その住民大会におきまして、私たちは苦渋の選択をして「中間合意案」というものについて承認をいたしました。率直に言って、私は思わずその時に涙を流しました。あの時の涙は本当は悔し涙でした。しかし、今日、もし私が涙を流したとしてもそれは喜びの涙です。

なんで平成九年七月一三日が苦渋の選択であったかということについて、今になって率直に申し上げるところがあると思っております。この中間合意案というのは三つの大きな禍根を残したままの和解であったからです。すなわち、一つは私たちが言い続けてきましたように、県は産業廃棄物の認定を誤った、そしてそのために指導監督を誤ったと言われながら、なおかつ謝罪ではなく遺憾の意を表するにとどまっている。県が本当に責任を認めたことにはなっていなかった、というのがその一つであります。

実は、私自身はそれ以上に大変な一つの問題点があると思っております。中間処理をしたうえで、廃棄物を島の外に出すということが決まりましたが、中間処理の施設というものは、あの中間合意案の中でそれは豊島の産業廃棄物以外はこの処理場ではやらないということが明記されておったのでございます。しかし、私自身は人の心は移りやすく、世の中もまた移りやすいと思います。この中にあって、これから十数年先に、この島にそのまま中間処理施設が残っ

調印式が行われた豊島小学校体育館には多くの住民が詰めかけた

調印後、会場となった体育館から歩いて
家浦港へ向かう真鍋知事と中坊弁護士

たりはしないだろうか、人の心が変わらないだろうか、あるいは県そのものが変わらないだろうか、ということが大変な危惧になっております。そしてどう考えても、いったん建設したものを、今日まで動かしていたものをあくる日からなくすというのは、もったいないという言葉が必ず出てくるだろうと、その時に一体どうなるんだろうと、私は正直言って思い悩んでおったわけであります。

さらに、三点目といたしましては、この中間処理の中で出てくる、いわゆるスラグ（鉱滓）でありますとか、あるいは灰という副産物といったものが本当にどう解決できるのか、この中には将来別途協議するというふうに書かれておって、二次公害を出さないということが本当に約束されるのか、あるいは再生利用という道が本当にできるのか、われわれの島から塊だけは外にまるまる出ていくのか、というような問題があるわけであります。それのみならず皆さん役員の方はご存じのように、この住民の中におきましても、そして弁護団の中におきましても、私にとりましては思いもかけず、私たちの意見が真っ二つに分かれました。

これで納得されなくても、あるいは不完全であってもこの際合意すべきだと。いやもっと筋を通すべきだと。二つの意見がほぼ真っ二つに分かれておったことになります。そのうえ、ご承知のようにわれわれの運動資金がすでに尽きはじめております。一つの集落においては、役員の代表者個人が農協からお金を借りなければいけない、このような状況になっておりました。運動を続けようにも金が続かないという、実は極限の状態にまで平成九年の七月の時にはなっておったわけであります。

どうしても崩せない壁

私たちはその時を超えまして、本日こうして、このような結果が得られたのだということをもう一度皆さんと共に思い返してみる必要があろうかと思います。率直に言いまして、私も弁護士でありまして、裁判でなくても公害調停で、われわれの願いが入れられる、そのための出入口はないか、国の制度はないか、それがこのとおりやれれば、われわれの目的は達成できる。そして、その場合のいろんな専門家の先生の報告も出て来た。われわれはこれでいけると思っておったのであります。しかしながら、それはやはり甘かった。平成九年七月、私たちは、それだけではどうしても崩せない壁があるということがわかりました。私自身も大きく反省を迫られました。

住民運動のあり方

私は率直に言って住民運動というものが、裁判手続き、あるいは公害調停手続きをやっておれば、それで目的を達成できるというものではないということが、私なりにわかったのであります。私は大きく方向転換を図らねばならない、あらためて運動を見直して、そして本当の国民の世論をいただき、どのようにしてわれわれの願いを実現していくのか、私はこの時点において大きく私たちの運動を転換しなければならない、そう思ったのであります。したがいまして、私は七月一三日のこの住民大会が終わりました時に、あの民宿「潮騒」におきまして、役員の方々に、日露戦争の時に明治天皇は広島まで軍隊の大本営の基地を動かしたではないか、どうしてあなた方は一番近い小豆島へまず行かないのか、と申し上げました。われわれは単に豊島にいて、そしてそれがテレビや新聞に載せられて、そして公害調停委員会に届くというだけでは目的は達成できない。すなわち、香川県の知事が謝罪しないということは、香川県の皆さまがやっぱり承知されていないからだ、香川県の皆さまにこのことを分かっていただかなければいけない、われわれの住民運動のあり方というものを、あるいは願いというものを本当に県民のものにしなければならない。それには自分たちがまず小豆島の土庄町から、そして小豆島から、われわれの願いというものを本当にわかってもらわなければならない。私はそのように判断したのであります。

そういたしまして、まさにその翌日の七月一四日、皆さまご存じのように小豆郡土庄町に、家を二軒借りまして、前線基地を作ったことを思い出されると思うのです。そして、ご参集の多くの方々が、この前線基地の事務所へ足を運んでいただきまして、われわれの本当の心をいかにしてわかっていただくかという運動を、ビラを手に何人かの方々が連れ立って土庄町の一軒一軒を訪れられた姿を思い出します。本当に皆さんの運動は、単に立ちんぼうだけで県に訴えているだけではだめ。県民に訴えなければならないんだということを身をもって示しました。その運動はその年の一二月一一日まで、約五カ月間にわたって行われたのであります。そして、しかしそうして回っているうちに、やはりこれだけでは足りない。小豆島に渡って三町の方に訴えなければならない、やはり香川県民全部に訴えなければならない。そういうことになったのではなかろうかと思っております。

そして、豊島の心を一〇〇万人の皆さま、香川県民へ、という運動が続けられたのであります。あのころ、宣伝カーに乗った皆さん方は、一〇〇カ所にわたって市町村ごとの座談会を開催されました。私も一回だけではありましたけど、山本町へ行きました。そしてこの中においいて、皆さん方は、なぜこうなっておるのかということを訴えられました。確かに、多い時には座談会は一〇〇人を超す座談会もありました。しかし、少ない座談会はたった二人というようなこともあったのであります。そのような中において、皆さんがこの運動を続けられたのであります。そして、一〇〇カ所を回るという運動は、平成一〇年七月一五日から、あくる年の三月七日、約八カ月にわたって行われたのでありますが、率直に言って、その時、このような座談会をやると本当にわれわれの声が県民に届くと思われた方は何人いたでしょうか。私自身も、皆さんがやっている姿を見て、ああ、これでいいと、これで何か成果があるとは到底考えられない状況でありました。ただ、なんのめどもなく、しかしただひたすら皆さん方は訪問し、われわれの本当の心を知ってもらいたいと言って、香川県民の方に会われたのであります。

そして選挙です。皆さんはわれわれの住民運動というものは政治運動そのものではないか、ということに気がつきはじめます。そして、皆さん方のリーダーの一人でもある石井亨《とおる》さんが、平成一一年四月六日、初めてこの県会議員にこの土庄から、この豊島から一回の立候補もしたこともなく、いわんや当選したこともないこの県会議員というものに挑戦し、われわれは四月一一日に、当選という成果を得たのであります。

そういうことがありまして、昨年七月、初めて直島《なおしま》案というものが私たちのところに来ました。私自身は、直島の人たちに本当に心より感謝を申し上げなければならない、このように思っております。そして、この間、公害調停の方も、一方においてはたゆまず進められています。平成九年の八月七日から平成一〇年の二月二三日まで、実に三〇回にわたって「技術検討委員会」が続けられ、そのたびに中地重晴さんを先頭にいたしましてわれわれ弁護団も、あるいは住民の代表の方も一生懸命にやって、先ほど言ったような、スラグ問題も、あるいは灰の問題も、あるいは二次公害を出さないで、どうしたら具体的に無害のままで完全撤去できるのかについての検討が重ねられていったのであります。

正しいと思う方向へ

そして、やっと公害調停が再開され、今日の最終案の合意に至ったのです。正直申し上げまして、私たちの住民運動というものは、ただアスファルトの道を、一本道を進んできたのではなかったということを、もう一度思い返すべきではないかと思うのであります。この間には、行き止まってみたり、谷底に落ちたり、あるいはお金がなくなり、時には苦渋の選択をしながら今日までやって来たと思うのであります。そしてあらためてわれわれが知るべきは、この時に、この結果が出るとは誰も思わずにこれをしておったということであります。私たちはその先が見えなくとも、正しいと思う方向に向かってただひたすら歩んだ、その行為が結果的にはこのようになったということを、あらためて思い知るべきではないかと思います。

私たちのこれからの将来というものが、今言うように、一つにおいては、これが安全に撤去される日は、平成二九年三月末と最終合意案の中では書かれております。さらに十数年という長い年月が待っておるわけであります。われわれはこの廃棄物を完全に撤去するまでには十数年という長い年月が待っておるということをあらためて考えなければならないと思います。いや、それ以上に本当の意味において豊島が豊かな島になるには、離れ島という悪環境の中において、豊かな島になるには、本当にどうすればいいのか、これはとんでもない長丁場になります。最終合意案の調印が六月六日に行われれば、われわれはその方向へ歩み出さなければならないのであります。今回のこの最終合意案をのむということが、まさにそのような長い運動の中の一里塚に過ぎないのであります。私たちは今あらためて、われわれが成功したのは、われわれは先が見えなくても、ただ正しいと思う方向に向かって皆が心を一つにして闘ってきたからであるということをあらためて知るべきではないかと思うのであります。

豊島の中から廃棄物が出ていくまでの十数年の間、それよりももっと長く続くであろう豊島の再生、本当に名実ともに豊かな島にするために頑張っていただきますことを心から祈念いたしまして、私の話とさせていただきます。本日は本当にありがとうございます。

「六月六日の調印式での挨拶」

申請人代理人の中坊でございます。本日このような形の中で調停が成立いたしましたことにつきまして、本当に心から良かったと思っております。関係者の多くの方々、そして全国民に対しまして心から感謝を申し上げたいと思います。特に公害調停委員会におかれましては、川嵜《かわさき》委員長をはじめ、あるいはすでにお辞めになりました公害調停委員の方々、あるいは事務局の方々、永田委員長をはじめといたしまして専門委員の先生方、技術検討委員の先生方のご苦労に対しまして、本当に心からお礼を申し上げたいと思います。さらに中間処理を引き受けてくださいました直島の住民の方々に対しましても本当に心からお礼を申し上げたいと思います。

「知事は県民のお父さん」

私自身がこの調停の成立によって一番嬉しいと思いますことは、一つはやはり豊島というこの島に、五〇万トンを超す、不法な産業廃棄物を投棄されましたことが、現実に完全に撤去できるという見通しがたったということであります。二つ目にはこの問題について香川県の知事が、この件についての香川県の責任を認められ、謝罪をしていただいたことであります。私はこの件に関しまして、香川県、わけても真鍋知事がこのような解決が判決というような強制力によるものではなしに、自らこの責任を認め、積極的に対応していただいた、今日のこのような協定の成立に至りましたことに対しまして、本当に代理人といたしまして、心からお礼を申し上げたいと思います。どうもありがとうございます。

私は平成五年の九月から約七年に近い間、豊島の住民の方々といろんな角度で接する中において、正直言って心に引っ掛かる三つの言葉、あるいは態度というものがありました。その一つは、私がこの豊島に参りました時に、多くの住民の方々から「知事さんはわれわれのお父さんだ」という言葉を繰り返し聞いたということであります。私がなぜもっと早く法的な措置を講じなかったのか、ということを豊島の方々に申し上げますと、必ずといっていいくらい、「知事さんは私たちのお父さんだ。お父さんが子供をこういうひどい目に遭わすわけがない。私たちはなんとかして知事さんにわれわれの思いをわかってほしい」という言葉を聞きました。

しかしながら、香川県がなさってこられたことは、そのすべてを裏切ることの連続でありました。私はついに皆さん方に対しまして、「知事は親ではない、鬼だ」というふうに申し上げるに至りました。そう言いつつも、私自身、そのことは言いたくない言葉であるということを思いつつも、皆さま方にそのことを言わざるを得なかったのであります。そして、やっとこういう鬼だという言葉を言わなくてもいい時が、今日、訪れたわけであります。

同時に県におかれましても、本当の意味における県と住民との間の信頼関係なくして、無《む》謬《びゅう》の行政といったような形式的なことにこだわることなく、本当の意味における信頼関係こそがあらゆるものの原点であることについて、もう一度思い起こしていただきました。言葉はともかく、従来のように知事はわれわれのお父さんだという言葉が、本当の意味で言えるようなことになっていただきたいと思うのであります。

われわれを守る武器

二つ目に引っ掛かりました言葉は、私に隠れてといっては変だけれども、小さな声で数多くの人が言われました。このようにして権力をおもちの方と闘うということは、所詮は敗れることである、これだけお金を投じても、いらんことに終わるのではないか、ということが、ずっと継続をいたしておりました。

私はその都度「いやそうじゃない、世の中には真実と道理というものがある。そしてそれはいかなる権力よりも強いものだ。それこそが、われわれを守る武器である」ということを言い続けて今日までまいりました。そして皆さんが本当に真実と道理を追い求めて闘うということが、結局完全な勝利を収めるということについて、本当に皆さん方が心からこのことを再確認していただき、全国民に対してこの言葉を発していただきたい、このように思うわけであります。

　さて、三つ目といたしましては、豊島の方々がまたおっしゃいました。「結局どこかでしっぺ返しをくらうのではないか」という言葉であります。私もそれはそのとおりになりはしないかと恐れております。だからこそ、この協定案の最終に、離れ島をよその島より特別良くしてほしいとは言わない、よその島と同じように離れ島にとっても振興策に努めていただきたいということを要望案に盛らしていただきましたのもそのためであります。私はこのようなことがあってはならない、権力にたてついたものが、その名のもとにしっぺ返しをくらってはならないと思っております。

　この以上の、先ほどの二つのことは、すでにわれわれが闘う中で一つの成果を収めてきました。しかし三つ目のこと、しっぺ返しをくらうかくらわないかということは、まさにこれから将来の問題であります。豊島の人たちといたしましては、今日をはじめといたしまして、これから平成二九年の三月末まで、一七年という長い間の廃棄物を完全撤去するまでの期間がかかっております。そしてまた、本当にこのような離れ島が豊かな島になるための再生の未来があらねばなりません。

豊島の人たちは、少なくとも私たちに対しまして「今までは怨念をエネルギーとしてわれわれは闘ってきたが、もう怨念はさらばであります。われわれは希望という光のもとにこれから動いていきたいんだ」と申されました。そういうことを願っております。

どうか、香川県におかれましても、この豊島の人たちの本当の願いというものがどこにあったのかということを、どうか心に刻んでいただきまして、温かい目をもって、今後見守っていただきたい、このように思うものであります。

本日は本当にどうもありがとうございました。

ケース・14　一九九六年

不良債権・住専処理事件

◆事件の概要

住宅金融専門会社（住専）は大手銀行などの金融機関を母体にして一九七一年から七九年にかけて設立された。八〇年代のバブル経済期に融資を拡大。九〇年三月に政府は不動産向け融資の総量規制に踏み切ったが、住専は母体行に代わって融資を拡大し続けた。住専は貸付けの際に不動産を担保に取っていたが、バブル期には貸付け時の審査は甘く、地価の上昇を見込んで担保価格を超える額を貸付けた例もあった。ところが、バブル崩壊により地価が下落したため、貸付け先の不動産会社はその経営が破綻し、しかも、担保に取った不動産価格が貸付け金を下回ったため、膨大な不良債権を抱えることになる。その結果、バブル経済崩壊後に経営悪化が表面化し、住専七社の再建計画も破綻した。こうして、この不良債権の処理策が重大な政治課題となって浮上した。

この住専問題は、金融システム全体の安定性に与える影響も大きいと考えられ、主要七カ国蔵相・中央銀行総裁会議（G7）などの場で、日本は九五年中に解決することを要請されていた。村山富市首相は、九五年一二月二〇日未明、記者会見を開き、公的資金の投入で損失の一部を穴埋めすることなどを盛り込んだ住専の処理策を発表した。民間会社の債務返済や債権回収については当該会社が自ら責任を果たす必要がある。にもかかわらず、なんの責任もない国民に重い負担が転嫁されることになったのである。この処理案に対しては当然国民の批判が強く、九六年三月四日には、新進党が住専処理策を含む九六年度予算案の審議入りを座り込みをして阻止するなどの出来事があった。しかし、五月一〇日には予算案が成立し、六月一八日には住専処理法と金融六法が成立した。

住専処理のための「スキーム（枠組み）」は、次のようなものである。

住専七社の保有する債権は総額一〇兆七〇〇〇億円にのぼる。

このうち六兆四一〇〇億円（後に六兆四九九〇億円とされる）が不良債権とされ、母体行が三兆五〇〇〇億円、その他の銀行が一兆七〇〇〇億円、農林系金融機関が五三〇〇億円の債権を放棄するなどし、これで埋めきれない六八〇〇億円と預金保険機構への出資五〇億円を合わせた六八五〇億円の公的資金が投入された。そして、回収可能な債権とされた五兆五〇〇〇億円と、ほぼ回収が不能とされた債権の合計六兆七〇〇〇億円が、九六年七月に新たに設立された住宅金融債権管理機構（住管機構）に譲渡され、住管機構はこれを一五年かけて回収するということになった。しかし、住管機構が回収できなかった債権（二次損失）が出ると、そのうちの半分には重ねて公的資金を投入することになっている。つまり、国民の二次負担ということだ。九六年六月二〇日、住管機構が発足し、私はこの日から七〇歳の誕生日を迎えるまでの約三年間、住管機構及び整理回収機構の社長を務めた。

◆教訓と思い出

「罪なくして人を罰する」

民間会社の債務返済や債権回収について、多額の税金を投入するということは、まったく筋のとおらない話です。まさに「罪なくして人を罰する」ことでしかありません。なぜ、国民が負担しなければならないことになったのか。「金融秩序の維持」なんてことを言われても国民は納得できませんから、あれほどの大騒ぎになったのです。経過が不明だし道理も透明性もない。密室の中で政治家とか官僚が処理策を決めたということです。

それにしても、あの時なぜ司法が「自分のところがやる」と主張しなかったのか、裁判所をはじめとして、このことについて相当反省しなければならないと思います。私は、司法に身を置くものとして残念でなりません。住専七社の倒産については、住専七社の経営責任であるとか、それを作ってきた母体行であるとか、農協系も含めたさまざまな金融機関、あるいはそれを知る大蔵省に責任があるわけで、七社の倒産に関して一般大衆はなんの責任もありません。にもかかわらず、それを税金で賄うということは「罪なくして人を罰する」ことであります。無罪の人を有罪にするということは、司法では決してあってはならないことです。

さらに問題なのは、国会で制定された「住専法」は、結局、二次損失を国民に負担させるための法律だという見方をされても仕方がないところがあったということです。住管機構の株主というのは全部国ですから、社長が仕事に失敗したからといって株主代表訴訟のおそれはないし、大蔵省や国の言うままにどんどん国民の二次負担金を増やしたとしても、経営者はまったく責任を負う必要はないのです。そういう法律が出来上がったということについても私は義憤を覚え、かつて橋本総理に食ってかかったこともありました。

住専問題が発生した時、私はなぜこの問題を司法の場にもってくることができないのかと思っていました。後始末をするなら、司法の場で裁かれるのが筋ではないかということです。当初、大蔵省や国会だけで仕切られていたのは、やはり司法の現状のせいではないかと考えるわけです。以前から申し上げているのですが、わが国の司法は果たすべき機能の二割しか果たしていません。では、残りの八割はどうなっているのかと言えば、一番初めに「泣き寝入り」。

二番目が「政治決着」。三番目は「暴力団の支配」。四番目が「行政指導」です。本来、司法で裁かれるべき社会の紛争が、泣き寝入りさせられたり、政治決着で片づけられたりしているということで、住専の処理策も二番目に挙げた政治決着にほかなりません。そして、そこには正義も道理もありません。

せめて司法に籍を置く者が「罪なくして人を罰する」ことがないよう、国民に二次負担をかけないということを標榜《ひょうぼう》して責任者をやる必要があると考えました。その任を司法に身を置く者が誰も負わないというのなら、かつての日弁連会長として、司法の一角にいた人間として私が引き受けよう、このまま手をこまねいていることはまさに日本の司法の名折れであり、司法が歴史的な批判を受けることになると恐れました。それを回避するためにも、現場へ行って本来の司法の理念を生かそうと考え、社長という大役を引き受けさせていただくことにしたわけです。

社員の意識改革

私の仕事は、一言でいえば住専七社の倒産後の後始末だったわけですが、それにしても住管機構という会社は、本来は構造的に成り立たない組織でした。当初の社員一一〇〇人のうち九

○○人を占める旧住専の元社員はみんな「傷ついた」人たちです。彼らはみな住専問題が発生してから厳しい誹謗・中傷を受け、かなりひどい目に遭って社会から徹底的に叩かれました。たいていは働いていた住専の倒産に伴い母体行に引き取られ、そして住管機構に派遣された人たちで、各自が心に大きな傷をもっています。彼ら旧住専の社員にしてみれば、本来はお客さんだった借り手を債務者として敵に回さなければならない。債権回収の責任者である社長の私に「忠ならん」と欲すれば、出身母体の銀行に「孝ならず」という「利益相反」の矛盾を抱えているわけです。その旧住専社員に住管機構は一人当たり年間四〇〇万円の給与しか支払っていませんでした。あとは母体行が負担したわけです。敵対するところから援助を受け、月給もまともに払っていない社員にどう働いてもらうか。これは難しい問題でした。

また「多重組織」としての難しさもありました。住管機構というのは元銀行マンのみならず、大蔵、検察、警察、弁護士で成り立つ混合集団。「利益相反」であるだけではなく「多重」の矛盾も抱えて発足しています。とにかくまったく相矛盾した人たちの集団であったということです。この人たちの中で、住専から来ている人にとってみれば、今の規定のままなら、一五年経てば住管機構そのものがなくなるということでした。回収といういやな仕事をさせられて、一五年経てば職場がなくなるということで、本当に社員にやる気を起こさせられるのかという問題がありました。一方、銀行から来ている人はたいてい二年ぐらいで元のところへ戻ります。こういった人たちの意識をどう変えるのか。あなた方はそういう金融機関とかいう小さいしがらみを超えて、国民全体から依頼を受けているんだという問題意識をもたせなければなりませんでした。だから大義名分というのは、ただ債務者との間だけに有効なものではなく、意識を統一させたり論理性を高めるためにも有効なのです。しかしながら、同時に問題があるのは、大義名分を立てても実績がなければすべてが消えてしまうということです。実績を上げるということは非常に難しい。結局、退路を断って勝負に出ざるを得なくなるわけです。

こうした状況の中で私は債権回収の先頭に立って働きました。そして、設立から一年が経った九七年の五月に、回収責任者を集めて初の全国支店長会議を開きました。この会議で各地の報告を聞きながら、私は、一人一人が大変な困難に遭遇しながら必死になって仕事をしていることがよくわかり、心の底から感激しました。住宅金融債権管理機構は、もう「中坊公平の会社」ではなくなったということでした。

「民」が「官」に勝った!

九九年四月一日、住管機構は、破綻した信用組合や銀行の債権回収を進めてきたもう一つの国策会社、整理回収銀行と合併し「整理回収機構」として生まれ変わることになりました。この整理回収機構はわが国の金融機関の不良債権処理を一手に引き受け、金融不安解消の切り札としての役割が期待されています。

合併の結果、私は住管機構の最初で最後の社長となり、整理回収機構の最初の社長に就任しました。実は、この整理回収機構が発足する前に、その形態や運営について、私は政府や国会の皆さんに対して率直な意見を述べ、いくつかの要求を強い姿勢でつきつけました。それは例えば、機動性を確保するために整理回収機構を公的法人にするのではなく民間会社とすべきであるとか、「五年間の時限措置とする」という文言を基本指針から削除してほしいとかいうことでした。要求はほぼかなえられることになり、発足直前の九八年一〇月一日、「整理回収機構の創設と運営に関する基本指針」が与野党間でまとまりました。とはいえ、この指針を反映する形での整理回収機構はなかなか浮上しませんでした。大蔵省がこれを引っ繰り返しにかかったのです。

大蔵省のやり口を知り、腹に据えかねた私は大蔵省や預金保険機構に怒鳴り込んだりもしました。結局、故人となられた小渕恵三氏、梶山静六氏、そして野中広務氏らと会って話を重ね、力添えをいただき、結局は大蔵官僚を寄り切りました。「民」が「官」に打ち勝ったというこ

2000年３月22日、今は亡き小渕首相と

とです。そして、豊田商事の事件で一緒に管財人を務めた鬼追《きおい》明夫弁護士を後継の社長に推して、私は七〇歳の誕生日となった九九年の八月二日に退任しました。

「住宅金融債権管理機構」「整理回収機構」で社長を務めさせていただき、精一杯頑張らせていただきましたが、私は一円の月給もいただいていませんし、退職金も一切受け取ってはいません。だからこそというわけではないのですが、誰に対しても媚びることなく言いたいことを言わせていただきました。

世の中は理屈や筋書きだけでは動きません。情熱、エネルギーというものが必要です。住管機構の仕事も、見通しがないのに出発してはいけないというのではなく、見通しがなくとも出発すべきだと考えてきました。なんの見通しもないまま出発したのに、計画した目標にほぼ近い額のお金を回収しました。何千億円も回収できるなんて奇跡だと言う人もいますが、人間、退路を断って懸命にやれば、世の中は動くものなのです。豊島の事件だってなんの見通しもないまま歩き始め、七年近くにわたってとことん闘い続けたからこそ、筋を通すことができたのです。

これまで手がけてきた事件のすべてにおいて、私は弁護士・代理人という立場で働いてきました。しかし、この「住専」については、私自身が住専管理機構（後に整理回収機構）の社長に就任して、まさに「事件」の当事者になったわけです。そして、弁護士というのは依頼人の権利や利益を守るのが仕事なのですが、この事件については、全国民、国民全体の利益を守るという責務を負ったわけです。この二つは、これまで手がけてきた事件とはまったく異なる特徴であり、ある意味で、私の仕事の集大成といえるものでした。

私の人生はもう黄昏《たそがれ》です。そんなに長くはいられません。しかし、夕陽が大きく見えて沈んでいくように、私もまた最後の輝きを放って人生を終えたいと考えています。

おわりに

人間というのは、ただひたすら、懸命に、ひたむきに生きていかなければならない。ひたむきさがない人間には心を揺り動かされない。とはいえ、自分の利益のためにひたむきになっているというのでは単なるエゴであり、誰も共感を抱かない。しかし、自分のことではなく、他人のためにひたむきになって頑張っていれば、いくらやっても人から恨まれることはない。

私はただひたむきに生きてきただけだ。ただし、当初は自分が生きていくために、自分の利益のためにひたむきに働いていた。そういう意味では一種のエゴだったのだが、それではいけないということを教えてくれたのは社会だった。決定的だったのは森永ヒ素ミルク中毒事件を担当したことだが、その伏線はこの本の中で紹介したM市場やH鉄工にすでにあった。さまざまな事件と取り組む中で、自分のためにではなく、みんなのためにひたむきに頑張らないとだめなんだということを学び取ってきたということが、この「事件簿」全体を流れている精神ではないかと思う。

七〇歳を越え、人生の終着駅ももう間近だ。過去を振り返るしか楽しみもなくなった。そんな時、「私の事件簿」の執筆の依頼があった。

記録を読みなおしてみると、その時々の自分の姿が鮮明に浮かんでくる。その姿は必ずしも美しいものでも力のあるものでもない。しかし、ひたすら懸命に獲物を追い求めている姿がある。けれど、自分にとって獲物とは一体なんであったのだろう。自分自身の現世的な御利益《ごりやく》から次第に自分の視野が広がっていき、同時にそれなりに深く考えるようになった。その意味では森永ヒ素ミルク中毒事件が私のまさに青春時代であったことがわかる。

この事件を境に、私は世の中には不条理に泣く人があまりにも多いことに気がつき、同時にそれは生まれつきの虚弱児として、落ちこぼれ組の一人として育ってきた自分の姿と重なり合った。遮二無二《しゃにむに》目的を実現するエネルギーになった。そして亡き父が私の名前を公平と決めた気持ちが少しは理解できた。自分個人のためではなく、少しでも公のために何ができるかということを問い直していくのが正しい生き方だと思うようになった。

しかし、この道も険しく、登るには力不足のことも多い。それでも私は、終着駅まで一歩でも登り詰めようと思っている。

中坊公平　年譜

一九二九年八月　京都市内で出生

一九五三年三月　京都大学法学部卒業

一九五五年四月　司法修習生（九期）

一九五七年四月　大阪弁護士会に登録

一九五八年七月　春秋会創立と同時に参加

一九七〇年四月　大阪弁護士会副会長に就任

分離修習阻止、簡裁事物管轄拡張反対の各運動に参加

また福島裁判官訴追問題などにつき日弁連活動に参加

一九七三年一月　森永ヒ素ミルク中毒被害者弁護団団長に就任

その後、被害者の救済活動に従事

五月　千日デパート火災テナント弁護団団長に就任

一九七五年四月　大阪弁護士会の厚生委員会委員長

大阪弁護士会における最初の運動会を運営

一九七七年四月　大阪府建設工事紛争審査委員会委員

大阪弁護士会消費者保護委員会初代委員長

1939年、著者10歳、家族と（本人・前列左端）

一九八〇年四月　日本弁護士連合会常務理事
一九八一年一〇月　日弁連の三者協議に関する合同会議委員
　日弁連の日弁連会館委員会委員
一九八四年四月　大阪弁護士会会長
　日本弁護士連合会副会長
　近畿弁護士会連合会理事長
　人権擁護、拘禁二法阻止などに力を注ぐ
　大阪地裁簡易裁判所判事推薦委員会委員
　日弁連最高裁判所裁判官推薦諮問委員会委員
一九八五年四月　大阪弁護士会総合法律相談センター初代運営委員長
一九八五年五月　日弁連司法制度調査会委員
　七月　豊田商事株式会社破産管財人
一九八七年四月　大阪府建設工事紛争審査会会長
　日本弁護士連合会消費者問題対策委員会委員長
一九八八年一一月　これからの大阪府警察を語る会委員
一九九〇年四月　日本弁護士連合会会長（九二年まで務める）
　検察官適格審査会委員

一九九三年　財団法人交通遺児育英会評議員

　　　　　　産業廃棄物不法投棄・豊島事件弁護団団長

　　　　　　信楽高原鉄道事件（民事）

一九九六年七月　株式会社住宅金融債権管理機構代表取締役社長

一九九九年四月　株式会社整理回収機構代表取締役社長（八月退任）

　　　　七月　司法制度改革審議会委員

二〇〇〇年三月　内閣特別顧問

　　　　　　警察刷新会議委員

　　　　六月　大阪府特別顧問